情報隠蔽国家

第1章

日米同盟の暗部と葬り去られた国家機密

――現役自衛官が実名告発

1

東京・市ヶ谷に位置する防衛省――もっと正確に記せば、東京都新宿区市谷本村町（いちがやほんむらちょう）という行政区域に約23ヘクタール＝約７万坪もの敷地を有する防衛省の本部庁舎群は、同省が防衛庁と呼ばれていた時代の２０００年５月、東京・六本木から移転してきたものである。いま、六本木の跡地は東京ミッドタウンと称する巨大商業ビルに生まれ変わった。一方、市ヶ谷台とも呼ばれる現在の本省所在地には、巨大な高層庁舎が幾本も林立している。

その市ヶ谷台は、日本の薄暗い歴史が数々刻み込まれてきた数奇な地でもある。

JRの市ケ谷駅と四ツ谷駅からそれぞれ数百メートルほどしか離れていない市ヶ谷台は、南側を走る靖国通りより20メートル近くも小高い台地になっていて、江戸時代までさかのぼれば、もともとは徳川御三家のひとつである尾張徳川家の上屋敷が存在した。明治維新後、その敷地は新政府に返上されて兵学寮となり、陸軍士官学校のための庁舎として「１号館」と名づけられた建物が完成したのは昭和期に入った１９３７（昭和12）年のこと。間もなく1号館には大本営陸軍部、陸軍省、参謀本部などが続々と移駐し、かつての大戦を率いた軍部の中枢的役割を果たす。

終戦後は一転して米軍に接収され、戦争指導の中枢だった1号館の大講堂は改装を施され、皮肉にも戦勝国が日本の戦時指導者を裁く極東国際軍事裁判（東京裁判）の法廷とされた。かつて天皇の玉座があった大講堂正面の舞台は取り壊され、ＧＨＱ（連合国軍最高司令官総司令部）の要人席と同時通訳者のブースになった。正面に向かって右手に被告人席、左手に裁判官席が配置され、これもＧＨＱの指示によって照明が増設された大講堂は、戦犯処断の一部始終を隅々まで煌々と照らし出した。そうして裁判は１９４６年5月から約2年半も続けられ、48年11月には元首相の東条英機ら７人に絞首刑が言い渡される舞台となったのである。

その後、１９５９年に返還された1号館は、発足間もない陸上自衛隊の東部方面総監部になったが、戦後25年という節目の年、またも昭和史の重要な現場となっている。いわゆる「三島事件」である。

作家の三島由紀夫が1号館の2階にあった東部方面総監室を訪れ、自ら主宰する「楯の会」メンバーとともにこれを占拠したのは１９７０年11月25日。排除しようとした自衛隊員に日本刀などで斬りつけ、８人に重軽傷を負わせた三島らは、総監室に面したバルコニーに立つと自衛隊員に決起を促すアジ演説を行った後、早稲田大の学生だった森田必勝とともに割腹自殺して果てた。

それからさらに時が流れ、数々の血塗られた歴史の舞台となった1号館はいま、防衛省の本部庁舎が林立する市ヶ谷台の敷地の西端に移築され、「市ヶ谷記念館」として一般者向けの観覧ツアーの対象にもなっている。

だが、他の庁舎はまったく様相が異なる。中でも市ヶ谷記念館の東側に位置し、記念館を見下ろすように立つ地上9階・地下4階の「庁舎C棟」はひときわ厳しいセキュリティ体制が敷かれ、部外者はそこに立ち入ることすら許されない。防衛大臣の直轄下にあり、防衛省・自衛隊の擁する〝中央情報機関〟と位置づけられる情報本部が入居しているためだろう、セキュリティーには過敏なほどの神経が払われている。

2

防衛省が防衛庁時代の1997年初頭、それまで陸海空の自衛隊などに分散していた情報組織や情報関連セクションを統合する形で情報本部は発足した。英文表記は〈Defense Intelligence Headquarters＝ＤＩＨ〉。その意味や背後事情について、たとえば毎日新聞は発足直後に社説を掲げ、次のように解説しつつ、注文もつけている。

〈「弱いウサギほど長い耳を持っている」

これは、日本の防衛政策のあり方について語られる時によく使われる言葉だ。

日本の防衛政策は専守防衛を基本にしている（略）。その点からも、周辺国だけでなく国際的な軍事・防衛情報に耳を澄まし、異変があったら早期に警戒体制をとったり、紛争を未然に防止するために役立てたりすることは防衛庁にとって不可欠の任務だ（略）。

防衛情報を一元的に集め、分析しようという防衛庁の情報本部が20日、正式にスタートした。「長いウサギの耳」がやっと出来上がったわけだ。

これまで防衛庁・自衛隊は、内局、統合幕僚会議、陸海空の3自衛隊が個別に情報部門を持っていた。その実態は「縦割り行政」と同じで、せっかく集めた情報がばらばらに運用されるため、集積効果が出ない、無駄が多いなどと指摘されてきた（略）。

新しい情報本部は、米国防総省情報局（ＤＩＡ）をモデルにして、各部門を集約、一元化した。人員は自衛官と事務官を合わせ約１６００人という大所帯である（略）。

組織は出来上がった。しかし今後、より肝心なことは、集めた情報をどう役立てるかだ。日本には、海外の情報収集・分析に当たった旧軍の機関が謀略活動に走ったという暗い歴史がある。そんな事態を繰り返すようなことがあってはならない（略）。

今月13日、情報本部の事前公開の際、報道陣に会議室しか見せず、防衛記者会が「情報公開の流れに逆行するものだ」と抗議する事態となった。防衛庁の持つ秘密体質が指摘されて久しい。可能な限り情報を開示していく姿勢が絶対に必要だ〉

（毎日新聞１９９７年1月26日付朝刊）

――といった事情を抱えて発足した情報本部は、将の階級にある本部長の下、総務部や計画部、分析部、統合情報部、画像・地理部、電波部の計6部が置かれ、東千歳（北海道）や小舟渡（新潟県）、大井（埼玉県）、美保（鳥取県）、大刀洗（福岡県）、喜界島（鹿児島県）など全国各地に電波傍受のための通信所も配置している。

このうち各地の通信所を束ねる電波部は、内外の情報関係者の耳目をしばしば集めてきた。前身である陸上幕僚監部調査第2部別室——通称「調別」とも「二別」などとも呼ばれた組織の時代から代々、警備・公安部門出身の警察官僚に率いられ、旧ソ連や中国、北朝鮮などが発する電波や無線通信を傍受・解読してきた極秘組織。分厚い機密のヴェールの向こう側に隠され、活動実態はほとんど表沙汰になっていないが、幾度かにわたってその片鱗（へんりん）が明らかになったこともある。

代表的なのは1983年の大韓航空機撃墜事件であろう。この年の9月1日未明、サハリン上空で大韓航空機がソ連軍の戦闘機に撃墜され、269人の乗員乗客が犠牲になった際、事件の発生を電波傍受によっていち早くキャッチしたのが現在の電波部だった。のちに傍受記録が公開されて情報の正確性が裏づけられたものの、当の日本政府より先に米軍から米政府へと情報が伝えられ、当時の官房長官だった後藤田正晴が激怒した——という逸話も残されている。米軍と一体化し、その下請け機関と化す自衛隊の本質を物語るようなエピソードではある。

それはともかく、電波部などを抱き込んだ防衛省の情報本部は、前掲した毎日新聞の社説が懸念したような秘密体質を強めつつ、一貫して膨張を続けてきた。発足当初、約

1600人だった所属隊員らの総員はすでに2000人を軽く超え、防衛省もホームページなどで自ら「我が国最大の情報機関」と胸を張っている。実際には警察の一部門として全国で情報活動を行う警備・公安警察なども存在しているから、「我が国最大」とは少々大袈裟な感もぬぐえないが、日本有数の〝情報機関〟に成長しているのは疑いない。

3

その情報本部でにわかに異変のさざ波が立ったのは、2015年の晩夏から秋口にかけてのことであった。機密資料が外部に漏洩しているのではないか――。事実とすれば、〝情報機関〟としては断じて見過ごしにできない重大事である。強大な実力組織でもある自衛隊内部の秩序維持を司り、特別司法警察職員として隊員の犯罪捜査などにあたる警務隊員が直ちに捜査に着手し、ほどなく1人の自衛官に疑惑の眼を向ける。警務隊の視線の先に捉えられたのは、情報本部の統合情報部に勤務する1人の幹部自衛官だった。

この異変の発端をさかのぼると、同じ年の9月2日に行われた国会質疑にたどり着く。このころの国会で最大焦点となっていたのは、いわゆる安全保障関連法制。戦後日本が堅持してきた憲法解釈を一内閣の閣議決定で覆し、集団的自衛権の行使へと道を開いた安保法制をめぐっては、いうまでもなく野党などから激しい反発の声があがり、参議院の特別委員会ではこの日、共産党参院議員の仁比聡平が政府にこう言って詰め寄っている。防衛省・自衛隊のものだという内部文書を示しながら——。

「私の手元に、独自に入手をいたしました文書がございます。これはなんですか」「これは、陸海空の自衛隊を束ねる統合幕僚監部が、法案の8月成立を前提にして、国会と国民には説明せず、海外派兵や日米共同作戦計画などについて具体的に検討していることを示す重大問題ですよ。とんでもありません！」

委員会室は騒然とし、答弁に立った防衛相の中谷元もこう応じるのが精一杯だった。

「ご指摘の資料につきましては、私、確認をできておりませんので、この時点での言及は控えさせていただきます」「突然のご質問でございまして、ご提示いただいている資料がいかなるものか承知しておりません。防衛省で作成したものか否かも含めまして、コメントはできません……」

仁比が防衛省・自衛隊のものだといって示した文書に対し、しどろもどろの答弁に陥る防衛相。いったいなにが起きていたのか。問題の輪郭は、この文書をひもとくことで浮かびあがってくる。

私の手元にいま、当該の文書が置かれている。表紙にはゴシック体でタイトルが次のように印字されている。

〈統幕長訪米時のおける会談の結果概要について〉（誤記と思われるものも含め、原文のまま。傍点は引用者。以下同）

文書は合計で23枚。〈提出年月日〉として2014（平成26）年12月24日の日付が記され、右上の欄外には仰々しく〈取扱厳重注意〉の文字も刻印されている。中身をめくっていくと、自衛隊制服組のトップである統合幕僚長・河野克俊が2014年12月中旬に訪米し、米軍幹部らと会談した際の内容を記録した文書であることがわかる。

文書の詳細な問題点は追って紹介することとし、ここでは象徴的な部分のみ引用したい。米バージニア州アーリントンの国防総省で12月17日夕、米陸軍の参謀総長だったレイモンド・オディエルノと統幕長・河野との間で行われたという会談記録には、次のようなやり取りがある。

〈**オディエルノ**　現在、ガイドラインや安保法制について取り組んでいると思うが予定通りに進んでいるか？　何か問題はあるか？

河野　（この直前の総選挙での）与党の勝利により、来年（2015年）夏までには終了するものと考えている〉（丸カッコ内は引用者注、以下同）

やりとりの問題点は一目瞭然であろう。安保関連法制が国会で成立したのは2015年9月のこと。主要な野党が猛反発の声を発しつづけ、おびただしい数の市民が国会の周囲を取り囲む中、与党などの強行採決によるものだったが、統幕長の訪米時点では、法案の具体的内容の検討も与党協議すらも行われてはいない。

4

当時の状況をもう少し仔細に振りかえれば、統幕長の訪米から4ヶ月ほど後となる2015年4月には、首相の安倍晋三が訪米し、米議会の上下両院合同会議で演説している。日本の首相として米議会で演説するのは吉田茂や安倍の祖父・岸信介らに次ぐ4人目、上下両院の合同会議では初めてという出来事であり、安倍はかつての大戦への「痛切な反省」に言及しつつ、「侵略」や「お詫び」という言葉を使わなかったことが波紋を呼んだ。同時に集団的自衛権の行使に道を開く安保関連法制について、演説の中で「この夏までに成就させる」と断言したことも批判の的となる。法案すら固まっていない段階で〝対米公約〟したに等しいと受け止められたからである。

当然の話とはいえ、首相による2015年4月段階における〝対米公約〟的な発言ですら問題視された。他方、統幕長による米軍幹部への〝対米公約〟的な発言はそれより4ヶ月も早い段階でなされている。だが、そんな時点で防衛省・自衛隊の一幹部が外国軍の幹部に対し、国論を二分する重要法案成立の見通しを「来年夏までには終了する」などと断言する権限も資格もありはしない。いや、統幕長という職責が自衛隊制服組のトップであることを踏まえれば、実力組織である自衛隊の文民統制を危うくする暴走行為だとの誹りすら免れない。国会で共産党議員の仁比聡平が「重大問題だ」「とんでもない」と語気を強めて政府に詰め寄るのも、まったくもっともなことであった。

政権と防衛省はおそらく、頭を抱えたはずである。防衛省・自衛隊の内部文書だという資料を突きつけた爆弾質問への対応を誤れば、安保関連法制をめぐって難航している国会審議の新たな火種になりかねない――と。一方で防衛省や自衛隊は、疑念を強めたに違いない。いったいなぜ、重要な内部文書が共産党などの手に渡ってしまったのか――と。

しかし、政府と防衛省は表面上、知らぬ存ぜぬを決め込んだ。「資料がいかなるものか承知しておらず、防衛省で作成したものかも含めてコメントできない」という苦しい答弁で防衛相の中谷が確認を回避した翌日の9月3日、当の文書の主役である統幕長・河野克俊も記者会見で次のように述べるだけだった。

「確認中であり、コメントは控える」

とはいえ、「確認できない」と言い逃れるだけで済まされる問題ではない。共産党は参議院の特別委員会で文書の確認を求め、対する防衛省は9月7日、参院特別委の委員長に「資料は省内になかった」と報告、防衛相の中谷と首相の安倍も参院特別委でそれぞれこう明言したのである。

「存在の有無を調査いたしましたが、当該資料と同一のものの存在が確認できなかったということでございます」（9月9日、中谷の答弁）

「仁比委員が示された資料と同一のものの存在は確認できなかった」（9月11日、安倍の

答弁)

同一のものは存在しない――というのは実に微妙な言い回しである。類似のものはあったとも受け取れるが、しかし公式には「存在しない」と宣言したことになる。

だというのに防衛省・自衛隊内では、「存在しない」はずの〝国家機密〟というべき文書の「漏洩元」を探る警務隊の捜査がひそやかに進められた。そして11月に入ると、前述したように1人の幹部自衛官へと捜査の的が絞られ、家宅捜索などをはじめとする強制捜査が繰り広げられたのである。

5

機密文書の「漏洩元」として警務隊が目をつけた現職自衛官の名を、大貫修平という。自衛隊での階級は3等陸佐、当時の年齢は42歳。情報本部のなかでも中枢セクションの一つである統合情報部に在籍していた大貫は、強制捜査を受けた後も情報本部に勤務しつつ無罪を訴え、ついには国や防衛省を相手取って損害賠償請求訴訟まで起こすことになる。

そのあたりの事情も追って記していくが、提訴の際などに大貫は幾度か記者会見に臨んだものの、メディアの個別取材などには応じず、詳細については口を閉ざしてきた。ところが『サンデー毎日』誌上での発表を前提とし、私が単独インタビューを申し入れると、これに応じても構わないという返答が戻ってきた。

そうして長時間のインタビューが実現したのは2017年10月10日の夜、場所は埼玉県内にある弁護士事務所の一室だった。国などを相手に起こした訴訟で代理人を務める弁護士の事務所だったが、インタビューに弁護士などは同席せず、大貫はたった一人で私と向き合った。

緊張のためか、もともとがそういう男なのか、表情は一貫して硬かった。尋ねたこと以外に余計な言葉をほとんど発しない。それは不器用にも、いかにも生真面目な自衛官らしくも私には感じられた。ただ、いまも憤りがおさまらないといった様子で口を開いた大貫は、文書の「漏洩元」と疑われて強制捜査を受けたことには必死の形相でこう反論した。

「私は、断じて文書漏洩などしていません。入隊以来20年、自分なりに真面目に働いてきたのに、わけのわからない形で疑いをかけられ、自宅や実家まで家宅捜索を受け、現在は飼い殺しのような状態に置かれています。だから本当に悔しくて……。いえ、最近はそういった怒りも通り越してしまったほどです」

1997年、東京理科大学を卒業した大貫は、一般幹部候補生として陸上自衛隊入りした。まずは福岡・久留米の前川原駐屯地にある幹部候補生学校で11ヶ月の基礎訓練を受け、続いて配属されたのは北海道の旭川駐屯地や丘珠(おかだま)駐屯地。2001年からは防衛大学校の理工学研究科で気象学などの教育を受け、防衛省の技術研究本部や陸自の装備実験隊、航空学校研究部などに相次いで在籍したというから、防衛省・自衛隊内では技術系の幹部候補自衛官としてキャリアを積み重ねてきたといえるだろう。

市ヶ谷台にある情報本部の統合情報部に配属されたのは2014年の8月。部内外の情報調整や予算執行などが主要な任務であり、仕事の性質上、特定秘密保護法に基づく特定秘密をはじめとし、さまざまな機密文書も扱う立場となったらしい。あらためて大貫の証言に耳を傾けてみよう。

6

「情報本部の統合情報部で私が所属したのは1課1班でした。自衛隊の統合幕僚監部（統幕）や主要司令部との情報交換の窓口は、情報本部の中では統合情報部になるんです」

——その統合情報部で情報調整などが任務だったということは、さまざまな機密、たとえば特定秘密保護法に基づく特定秘密なども日常的に扱っていたわけですか？

「もちろんです。（統合情報部の）総括幹部の仕事の一つに、各種会議のプレゼン資料（説明資料）を複製して内局（防衛省の背広組）に持っていくという作業などがありました」

——そういった資料の中には特定秘密なども含まれるということですか？

「ええ、特定秘も含まれます。私が特定秘の登録作業をやって、複製作業をして内局などに持っていって渡すことも多くありました」

――なるほど。つまりは極端な話、機密情報を意図的に漏洩したりリークしようという気になれば、もっと重要で機微なものをリークすることもできたと？

「そうですね。いくらでもできたでしょう」

ということであれば、統幕長訪米時の会談録だけを漏洩したというのは、いかにも不自然で合理性を欠いた話である。しかし、そんなことはお構いなしとばかりに警務隊は大貫に捜査の刃を振り下ろした。

大貫の証言によれば、警務隊から最初の呼び出しを受けたのは、発端となった国会質疑から間もない時期のことだった。正確な日付は記憶していないというのだが、2015年9月中旬から末にかけてのある日だったという。警務隊が事情を聴きたがっている――。上司にそう告げられ、大貫は市ヶ谷台に林立する防衛省庁舎群の「庁舎E1棟」に入居している中央警務隊へと足を運んだ。

一般の自衛官にとって、警務隊に呼び出されるなどというのは、決して頻繁にあることではない。当然、大貫も戸惑い、緊張しただろう。再び大貫の話である。

「いったいなにごとかと驚きましたが、私服の警務官に1時間ほど話を聴かれました」

――具体的にはどのようなことを聴かれたんですか。

「警務官からは『文書が流出したのを知ってるか』とか、『国会での件は知っているか』とか、そんなことを聴かれましたが、この時は『お前が犯人だ』という感じではありませんでした」

ただ、いまから振り返れば、気になることもあった。この聴取の際に大貫は、2015年7月ごろに行われた統幕長らの別の訪米事案をめぐり、統幕側の担当3佐と口論になったことはあるか——と尋ねられたという。大貫は「言い争いになったのは事実ですが、特に遺恨も何もありません」と答えた。真相は不明だが、これが濡れ衣を着せられる要因になったのではないか——と大貫は言う。

この点はやや追加説明が必要だろう。

前述したように、統合情報部での大貫は、情報調整のほかに予算の執行なども主要な任務だった。そして2015年7月ごろの統幕長らの訪米事案をめぐり、同行する幹部の出張費用を統幕側で負担するか情報本部側で負担するか、統幕の担当3佐と若干の口論になったというのである。

これ自体、防衛省・自衛隊に限らず、あらゆる役所や一般の企業にも転がっていそうな話ではあるが、問題となった流出文書をめぐっても大貫と担当3佐には妙な因縁があった。統幕長の米国訪問終了後、大貫にメールで会談記録——つまりは後に流出して問題化する文書を送信してきたのも、同じ3佐だったのである。

大貫によれば、会談記録が添付されたメールを統幕の担当3佐から受け取った際、大貫は統合情報部の主要な部員にこれを転送し、その旨を3佐側にも返信した。防衛省・自衛隊内で機密情報をやり取りする際は特別なPC端末の使用が義務づけられているというのだが、このメールは一般的な業務に使われる端末で送信されてきた。つまり、大貫にとっては特別でもなんでもない、ごく通常の業務の一つをこなしただけのつもりにすぎなかった。

だから9月の聴取でも警務官にはそう答え、しばらくは音沙汰もなかったから、疑いは晴れたと考えていた。ところが約2ヶ月後の11月18日、再び中央警務隊の呼び出しを受ける。

待ち構えていたのは、大貫を犯人だと決めつけた過酷な聴取だった。

7

硬い表情を時おりつらそうに、そして悔しそうに歪めながら、当時の出来事を大貫がつづけて振り返る。

「昼過ぎに中央警務隊に行くと、窓のない部屋に案内され、白衣の隊員に『ポリグラフ（嘘発見器）検査を受けてもらう』と告げられました」

――いきなりポリグラフ、ですか？　通常の刑事事件なら、ポリグラフ検査には確か本人の同意が必要なはずです。拒否することだってできるでしょう。

「（自衛隊では）部隊を異動するごとに情報保全の誓約書に署名させられるんです。そこには、『ポリグラフ検査を拒まない』といったような一文があって……」

――だから拒むことはできないと思って受けたと。

「ええ」

窓のない8畳ほどの部屋でイスに座らされた大貫は、白衣姿の隊員の手で体のあちこちに電極のようなものを取りつけられ、机の上に向かって不自然な前傾姿勢を取るよう命じられた。それがポリグラフ検査のセオリーなのか、白衣を着た目の前の隊員が自衛官なのか医官なのかもわからない。確認すらできないまま、すぐに検査は始まった。

「文書を職場のプリンターで印刷したか」「スキャナーでデータ化したか」「文書に文字を打ち込んだか」……。

次々に投げかけられる質問にすべて「いいえ」で答えるよう命じられ、検査は実に3時間以上にもわたって延々と続けられた。警務隊の取り調べを受けるという非日常の緊張、奇妙な態勢を取らされることへの屈辱、そして長時間の検査の疲労から、大貫は途中で2度ほど休憩を求めたが、白衣姿の隊員は「質問に答えれば普通の姿勢に戻れる」と言うだけで認めてくれない。喉もカラカラに渇いたが、水を飲むことすら許されなかった。

しかもポリグラフ検査が終了した後も別の警務官が大貫を聴取した。

「国会に流出した文書を印刷したのはおまえだ」「印刷された日に統合情報部の部屋にいたのはおまえだけだ」「お前が犯人なのは間違いない」「認めたらどうだ」……。

完全に文書の漏洩犯だと決めつけた取り調べだった。まったく身に覚えがないから大貫は否認を貫いたが、昼過ぎから始まったポリグラフ検査と聴取が終わったのは午後10時ごろになってからのことだった。心身ともにヘトヘトだった。

この時点で警務隊がどれほどの裏づけ証拠を持って大貫に「自白」を迫ったのかは定かでない。ただ、確たる証拠などなかったことはほどなく明らかとなる。

一方の大貫は、屈辱の聴取から間もなく、情報本部の総務部庶務係への異動を命じられた。雑務だけの閑職であり、その理由を告げられることもなかった。同時に警務隊の捜査は続き、自宅官舎はおろか神奈川県内にある実家も家宅捜索され、両親までが事情聴取を受けた。共産党関係の資料はないか――。そんな捜索であり、年が明けた2016年2月になっても連日のように警務隊の取り調べにさらされた。

8

「やってもいないことを認められるわけがありません」

大貫は、いまもそう訴えつづけている。私とのインタビューでも、同じような台詞を繰り返した。少なくとも刑事司法の面では、大貫の訴えはすでに裏づけられている。2017年8月、特別司法警察として捜査権も持つ警務隊が大貫を自衛隊法違反（機密漏洩）容疑で送検したものの、東京地検は大貫を再聴取した上で不起訴処分（証拠不十分）を決定しているからである。

国会で問題の文書を政府に突きつけた仁比聡平も、私の取材にこう断言している。

「あの文書は我が党が独自に入手したもので、大貫さんとは面識もないし、お話ししたこともありません」

もちろん真相を軽々に断ずることはできない。ただ、無実を訴えつづける大貫は情報本部に勤務しつつ、2017年3月には国を相手取って500万円の損害賠償を求める訴訟も起こしている。

「濡れ衣を着せられ、〝島流し〟的な処遇を受けるのは絶対に納得できませんから」

そう語る大貫の執念と根気には正直、私も頭が下がった。なんらかの組織に一度でも属したことがある者ならば容易に想像はつくだろうが、このような境遇下で組織に身を置きつづけるのは並大抵のことではない。まして上意下達が徹底され、組織の論理が何よりも優先される防衛省・自衛隊ならばなおのことだろう。

それにしても、なんとも奇態な話ではないか。防衛省・自衛隊の振る舞いを皮肉まじりに記せば、「存在しない」はずの文書の「漏洩犯」を躍起になって探るのは、大貫には失礼だが、まったく滑稽な喜劇に等しい。

しかし、大貫の話に耳を傾け、その身に降りかかった厄災の経過を丁寧に読み解いていくと、そうして矮小化しまうべきでは断じてない問題が数々浮かびあがってくる。それは現代日本の政治と官僚機構、そして防衛政策の歪みである。

具体的にいえば、森友学園や加計学園をめぐる疑惑につきまとう政権と行政組織の情報隠蔽体質であり、「一強」政権の意向を忖度して行政をねじ曲げて恥じぬ官僚たちの姿であり、何よりも米国にひたすら追従して軍事一体化にひた走る日米「同盟」の実像でもある。

9

まずは政権と行政組織――今回のケースでいえば、防衛省・自衛隊を舞台とした抜きがたい情報隠蔽体質を検証しよう。

時計の針をふたたび2015年の9月初旬に合わせてみる。「存在しない」はずの機密文書の「漏洩犯」探しという奇態な事態が起きた発端は、前述したように9月2日の国会質疑だった。安保関連法制の審議に揺れる参院の特別委員会で、独自に入手したという文書を政府に突きつけた共産党議員に対し、間もなく防衛相や首相までが「存在を確認できない」と口を揃えて断言したことも前記した。

ところがこの国会質疑の翌日にあたる9月3日――。防衛省・自衛隊の内部では、政府説明とはまったく逆の動きが起きていた。問題の内部文書を慌てて「秘文書」に指定する作業が行われていたのである。当時、防衛省情報本部の統合情報部に在籍していた大貫は、その一部始終を現場で目撃していた。私のインタビューに大貫はこう明かしている。

「国会で質問された翌日、上層部の指示で文書が『省秘』に指定されたんです」

――「省秘」に？　いったいどういうことですか。そもそも文書には〈取扱厳重注意〉という印字がありましたね。

「それは、訓令上は定義されていないけれど、扱いには注意してくださいよ、といった位置づけで使われていたものです」

――つまり、「省秘」に指定したことで問題の文書が正式な秘密対象になったと。

「そうです。漏らせば懲役刑を科せられます」

この点についても少々の補足説明が必要だろう。

猛烈な批判を振り切って2014年12月に施行された特定秘密保護法にもとづく特定秘密などを除けば、防衛省・自衛隊の内部には、文書などの秘密区分に次のようなものがあるという。

まずは「省秘」。自衛隊員の秘密保持義務を定めた自衛隊法59条などに基づくもので、国の安全などに影響すると判断された場合、秘密保全に関する防衛省の訓令によって指定される。次いで「部内限り」、「注意」といった区分もあり、それぞれ内部で次のように定義づけられている。「部内限り」＝防衛省の職員以外の者にみだりに知られることが業務の遂行に支障を与えるおそれのあるもの、「注意」＝当該事務に関与しない職員にみだりに知られることが業務の遂行に支障を与えるおそれのあるもの……。

このほか「日米相互防衛援助協定等に伴う秘密保護法」に基づく特別防衛秘密もあり、

これは「機密」「極秘」「秘」などと区分されるらしいが、問題となった文書に印字された〈取扱厳重注意〉は、いずれの区分にも該当しない。いかにも仰々しい印象を与えはするものの、単に「扱いには注意を」と呼びかける程度の意味しかなかった。

ところが「省秘」は違う。そして問題の文書は9月3日に行われた「省秘」指定作業によって初めて防衛省・自衛隊としての「正式な秘密」に格上げされたことになる。

これも実に珍奇な話ではないか。表向きには首相も防衛省も「存在しない」と公言した文書を慌てふためいて「省秘」に指定する矛盾。理由は推測するしかないが、国会で問題視されたことを受け、焦りを深めた防衛省・自衛隊がさらなる情報漏れを防ごうと弥縫策に走った、とみるのが自然だろう。

加えて推測すれば、メディアや市民団体などによる情報公開請求を見越して対策を打つ、といった思惑も考えられる。正式な秘密に指定しておかなければ、メディアや市民団体関係者らからの情報公開請求があった際に拒むのは難しい。仮にこれを拒み、のちに隠蔽していたことでも発覚すれば、さらなる大問題に発展して火だるまになりかねない。

だが、正式に秘密指定をしておけば、情報公開請求に対しても堂々と黒塗りにして隠蔽できる。実際、のちに共産党機関紙『しんぶん赤旗』が問題の文書の情報開示請求をしたところ、内容のほとんどに黒塗りがほどこされていた。いわゆる〝ノリ弁〟である。それでも、黒塗り以外の部分を仔細に点検すれば、問題とされた文書が「存在した」ことは明確になる。

10

『しんぶん赤旗』の情報公開請求に対し、防衛省・自衛隊が公開した黒塗り文書も私の手元にある。国会で問題化した文書と並べてみる。

黒塗り文書の右上の欄外にも、〈取扱厳重注意〉と刻印されているが、そこには太い傍線が引かれ、上から巨大な〈秘〉のスタンプが押されている。正式な「省秘」に指定したためであろう。

一方、会談内容を詳述した部分はすべてが真っ黒に塗られ、見事なほどの〝ノリ弁〟状態ではあるが、文書のタイトルや会談相手の米軍幹部らの氏名、会談日時や場所などは判読可能で、そのすべてが国会で問題化した文書と一致している。いや、合計23枚の頁数や文書の体裁はもとより、判読可能な部分の誤記と思われる部分まで同一なのだから、両者はまったく同じものと考えてさしつかえない。国会で問題化した文書と同様、黒塗り文書のゴシック体のタイトルも次のようになっている。

〈統幕長訪米時のおける会談の結果概要について〉

ただ一つ、微妙な相違点もある。文書の表紙に並ぶ自衛隊幹部の承認欄とみられる部分である。国会で問題化した文書も黒塗り文書も〈統合幕僚長〉を筆頭に〈統合幕僚副長〉、

〈庶務室長〉、〈防計部長〉、〈防計副部長〉、〈防衛課長〉、〈防衛調整官〉といった役職名が並び、その下の欄内にはいずれにも承認を示すとみられる〈了〉の文字が刻まれているものの、2つの文書は文字の大きさが若干違う。理由は不明だが、こうした点を拡大解釈し、首相の安倍や防衛相の中谷は「同一のものの存在は確認できない」と強弁したのではなかったか。万が一、文書の同一性が政治問題化しても、虚偽答弁だったと誹られぬようギリギリの線を計算して——。

だがこれは、いかにも姑息かつ卑劣なごまかしであり、真相隠蔽のための詭弁というしかない。その上に防衛省・自衛隊の内部では、さらに許しがたい出来事も起きていた、と大貫は明かした。

問題化した文書を慌てて「省秘」に指定した翌々日の9月5日前後——。大貫が在籍していた情報本部の統合情報部周辺では、問題の文書を職場のPCなどから削除するよう上層部から命令が下されていた、というのである。

ふたたび大貫の証言に耳を傾けてみよう。

「これも上層部の指示でしたが、問題化した文書をパソコンから削除しろと職場で指示されました。国会で騒がれてしまったから、必死で隠滅を図ろうとしているのだと私は受け止めました」

あらためて振り返れば、問題の文書を添付したメールが統幕側の担当3佐から情報本部の統合情報部に送られてきたのは、統幕長の訪米から間もない2014年の12月末であった。統合情報部は統幕や自衛隊主要司令部との情報交換の窓口であり、同部1課1班に所属していた大貫は、部内外の情報調整が主要任務だったことは前述した。

だから統幕の担当3佐が発信したメールは、統合情報部で大貫が受信し、これを主要部員に転送した。防衛省・自衛隊では機密をやりとりする際、特別な端末を利用するよう義務づけられているが、問題の文書が添付されたメールは一般の端末で送受信されていることも以前に書いた。すなわちメールの送受信時点では正式な機密文書でなく、部内外の情報調整が任務の大貫にすれば、ごく日常的な業務をこなしたつもりにすぎなかった、と。

大貫が保存していたメールの送受信履歴を確認すると、受信メールの転送日時は2014年12月24日の午前11時54分。転送先リストに並べられている部員の数は、統合情報部の部長を含めて合計で14名にのぼっている。そもそもメールは統幕から統合情報部以外にも送信されていたから、文書はかなりの数の自衛官によって共有されていたことになる。少なく見積もっても、数十人の単位にはなるだろう。

しかも、以後の半年以上にわたって、文書は正式な秘密ではない状態で多数の自衛隊員の手元に保存されつづけていた。にもかかわらず2015年9月3日、国会で問題化すると突如として「省秘」に指定する作業が実施され、さらにはPCなどからの削除が上層部から命じられたのである。

どう考えても、国会で暴露され、問題化したから必死に隠蔽を図ったと考えるほかはない。そして誰もが思い浮かべるにちがいない。同じような公文書や公的情報の隠蔽、破棄、そして詭弁やごまかしは、この国の行政機関で数えきれないほど繰り返されてきたではないか、と。最近でいえば、首相や政権との不透明な関係が取りざたされた森友学園や加計学園をめぐる疑惑がその典型例である。

11

首相の熱烈な支持者を自称していた男――籠池泰典は、自らが運営する幼稚園の園児に教育勅語を暗唱させるといったアナクロな超復古主義教育を実践していたが、同様の教育方針を取る小学校の新設を目指し、一時は学校に首相の名を冠することまで検討し、首相の妻を名誉校長に迎え入れて悲願の実現を目論んでいた。要は時の首相の威光を全面に掲げて学校開設を目指していたわけだが、その学校用地として国有地が異様な安値で売却されていたことが発覚すると、疑惑への関心はにわかに沸騰し、首相と学園の関係に世の視線が注ぎ込まれた。

ところが籠池は、熱烈に支持していたはずの首相から間もなくハシゴを外され、手のひらを返したように冷たく扱われた。これに腹を立てたのか、ようやく本質を見抜いたのか、国会の証人喚問などで首相の妻との関係や「神風」が吹いた経緯を暴露して必死の抵抗を試みたが、首相も官邸も財務省なども終始一貫、木で鼻をくくったような対応で疑惑に蓋をした。

なかでも財務省は、国民の共有財産である国有地売却の最大当事者であるのに、格安売却に至った経過や理由の詳細を明かさず、あげくの果てにはその経緯が記されたはずの公文書類を「すべて廃棄した」と開き直り、国会でもその詭弁を押し通した。首相から尻尾切りされた籠池は司直の手によって詐欺容疑で獄に叩き込まれ、逆に詭弁を弄した財務省の理財局長は政権から功労を評価されたのか、国税庁長官へと昇進したのはご存知のとおりである。

加計学園をめぐる疑惑にもまったく似たようなところがある。首相も「腹心の友」だと自認する理事長・加計孝太郎に率いられた加計学園は、約半世紀も認められてこなかった大学獣医学部の新設を目指し、首相や周辺への働きかけを繰り返していた。これに対し、大学設置認可の権限を持つ文部科学省などは抵抗したが、政権主導の国家戦略特区での認可という形で異例の新設への道が開かれてしまう。

その過程では、「総理のご意向」によって「公正公平であるべき行政がねじ曲げられた」とする文部科学省の内部文書や元事務次官らの証言が続々と飛び出し、新設認可をめぐる不透明性や首相と「腹心の友」との関係への疑念が一挙にふくらんだ。

しかし、政権は当初、文科省の内部文書を「怪文書」扱いし、これが真正なものだと元事務次官の前川喜平らが告発すると、前川を社会的に抹殺するかのような動きにまで加担した。一方、国会審議などでは官邸や内閣府の当事者や関係者らが「記憶も記録もない」

と開き直り、ここでもまた、内閣府などに残されているはずの公文書や記録類も徹底して隠され、真相が明らかにされないまま現在に至っている。

防衛省・自衛隊をめぐっても、類似の事案が続発してきた。少し前まで記憶をさかのぼれば、防衛庁時代の2002年、情報公開法にもとづく請求者100人以上の身元などを調べ、それをリスト化して幹部らが閲覧していた事実が毎日新聞などのスクープで発覚している。情報公開請求をする者などは敵であり、動向を監視せねばならないという発想が如実に示された事案だった。直近でも、東アフリカに位置する南スーダン共和国を舞台とした国連平和維持活動（PKO）の日報隠蔽問題が明らかになっている。

こちらの発端は2016年7月、フリージャーナリストの布施祐仁による情報公開請求である。南スーダンに派遣されたPKO部隊と陸上自衛隊との間で行われたやり取りに関する文書を公開請求したのだが、陸自側は現地派遣部隊から送られてきた日報の存在を確認しながら、これを意図的に除外して公開を拒んだ。直後の10月、布施はあらためて日報の公開請求をしたが、防衛省・自衛隊は「すでに破棄されているため不存在」として公開しなかった。ところが実際には日報の電子データなどが統合幕僚監部に残っていたことが間もなく発覚し、問題は一挙に火を噴く。

当然ながら陸自では組織的な隠蔽が疑われ、元検事がトップを務める防衛相の直轄組織・防衛監察本部による特別防衛監察の結果、当時の防衛事務次官・黒江哲郎や陸上幕僚長・岡部俊哉らが停職や減給などの懲戒処分を受ける異例の事態に発展してしまう。果ては当時の防衛相・稲田朋美までが隠蔽を了承していた疑惑も報じられ、稲田が事実上の更迭に追い込まれるなど、政権を揺るがす一大スキャンダルに拡大したのである。

では、防衛省・自衛隊はいったいなぜ、南スーダン派遣部隊から送られてきたＰＫＯ日報の隠蔽を企図したのか。これも当時の政治情勢などを分析すると、見事なほど明確に理由が浮かびあがる。

12

日報の情報公開請求があったころ、国会などでは、南スーダンＰＫＯに参加する自衛隊部隊の派遣延長の是非が大きな焦点に浮上していた。

しかも南スーダンの治安情勢について政府は、国会などで「現地の情勢は落ち着いている」「自衛隊が活動する首都ジュバ市内は比較的安定している」などと繰り返し説明していた。だが、南スーダンでは大統領派と副大統領派の衝突が激化し、状況が悪化の一途をたどっていたのは衆目の一致するところであり、実際に現地派遣隊から陸自に送られてきていた日報には、首都ジュバなどで「戦闘が生起」「激しい戦闘」などと明記されていた。

これが表沙汰になれば、安保法制などで政権批判を強める野党やメディアを勢いづけてしまいかねない。いや、「戦闘が生起」などと記された日報を公開すれば、戦地への自衛隊派遣を禁じたPKO協力法ばかりか憲法との整合性までが問われてしまいかねない。だから防衛省・自衛隊は、政権の意向や国会情勢などを忖度し、日報を必死になって隠蔽した——そう考えるしかあるまい。

すべての事象に共通するのは、政権の都合や行政の自己保身を優先するあまり、客観的な事実すら隠蔽し、時にねじ曲げて恥じない為政者たちの姿である。南スーダンPKO日報に関していえば、現地に派遣されて任務にあたる自衛隊員の安全より、自らが目指す法案の成立や政権の都合を優先したことになる。常日ごろ、自衛隊の存在やその活動をことさら称揚する政権にもかかわらず、本音では自衛隊員の安全などどうでもいい、と考えているとみられても仕方あるまい。

ただ、こうした政権や行政の振る舞いで害を受けるのはもちろん、自衛隊員に限った話ではない。公文書や公的な記録類の隠蔽、破棄、それを糊塗するための詭弁、ごまかし、嘘や偽りが蔓延、横行する行政は、この国の民主主義の土台を根本から腐らせる。

あらためて記すまでもないようなことを、あらためて記しておく。あらゆる行政機関や公の機関が所持する情報も、それを記録した公文書類も本来、もとをただせば市民共有の財産である。外交や防衛といった分野で一時的に秘密が必要になる場面があったとしても、記録はきちんと作成、保管し、いずれは公開されて歴史の審判を受けなければならない。それでこそ権力を行使する者たちに責任感と緊張感が生まれ、でたらめで放埒な権力の行使に歯止めがかかる。

また公文書類は、国の歴史を刻む貴重な知的資料でもあり、それを適切に作成し、管理・保管し、必要に応じて公開する手続きを踏まねば、成功した出来事にせよ失敗した出来事にせよ、後世に正確な歴史も教訓も残すことができない。だから時の政権の都合や行政官らの忖度によって公文書類を隠蔽したり、ましてや破棄したりねじ曲げたりするのは、歴史に対する背信行為であり、最終的には民主主義をどんどんと根腐れさせる。

そんな愚行がこの国では長く横行し、蔓延してきてしまったのだが、現役幹部自衛官・大貫修平の身に降りかかった「存在しない」はずの機密文書の「漏洩犯」問題からも、まったく同じ種類の腐臭がぷんぷんと漂ってくる。

私のインタビューに応じてくれた大貫は、閑職に追われながらも情報本部に勤務し、いまなお無実を訴えて国家賠償請求訴訟まで起こしているが、中央警務隊による強制捜査の過程では、犯人だと決めつけた苛烈な聴取を繰り返し受けた。その際、取り調べにあたる警務官からは、こんな台詞を投げつけられたという。

「この件は官邸マターだから捜査に協力しろ」「この件については行政の長も激怒しているんだぞ」——と。

大貫の証言である。

「『官邸マターだから捜査に協力しろ』と告げられたのは、私の自宅や実家、職場の机などが捜索された際のことです。中央警務隊の副隊長に言われました。『行政の長も激怒している』というのは、その後に取り調べを受けても自白しないのに苛立った様子の警務官から言われた台詞です」

――それは加計学園の問題をめぐる「総理のご意向」を思い出させますね。やはり官邸の意向があったのか、防衛省・自衛隊が忖度したのか……。

「ただ、警務隊の強制捜査には防衛大臣の承認が必要ですから、当時の中谷防衛大臣の承認の下で私を捜査したのは間違いありません」

ここでも明らかにちらつく「政権の意向」。だとするなら、われわれはもっと深くこの問題を考察しなければならない。

首相や防衛省が「存在しない」とうそぶいた文書は明らかに「存在した」。ならば、そこにはいったい何が記され、何が不都合だから必死の隠蔽を図ったのか。

あらためて当該の文書に戻って仔細に読み解いていくと、問題の本質がもっとあらわに立ちあがってくる。それは、米国の意向に惨めなほど追随し、軍事的な一体化に突き進んでいく日米「同盟」の姿である。

13

〈統幕長訪米時のおける会談の結果概要について〉

そうタイトルがつけられ、右上の欄外に〈取扱厳重注意〉と刻まれた文書――自衛隊制服組のトップである統合幕僚長・河野克俊が2014年12月に訪米し、米軍幹部らと相次いで会った際の会談録を、ふたたび一枚一枚、丁寧にめくってみる。前述のとおり、総頁数は23枚。これを独自に入手したという共産党参院議員の仁比聡平は、2015年9月の参院特別委で、米陸軍参謀総長だったレイモンド・オディエルノとの会談録の次の部分を特に問題視して政府に詰め寄ったこともすでに記した。

〈**オディエルノ** 現在、ガイドラインや安保法制について取り組んでいると思うが予定通りに進んでいるか？ 何か問題はあるか？

河野 （総選挙での）与党の勝利により、来年夏までには終了するものと考えている〉

このやり取りの問題点は詳しく繰り返さない。戦後日本が堅持してきた憲法解釈を一内閣の閣議決定で覆し、集団的自衛権の行使容認に舵を切った安保関連法制の成立より9ヶ月も前の段階で、一自衛隊幹部が米軍幹部にそのような言質を与える権限も資格もない。国権の最高機関たる国会を軽んじ、自衛隊の文民統制を危うくする制服組の暴走との誹りも免れない。

しかも文書を見ると、この発言の前後、河野はオディエルノにこんなことも語っている。

〈集団的自衛権の行使が可能となった場合は米軍と自衛隊との協力関係はより深化す

る〉〈今回はデンプシー議長（引用者注・当時の米軍統合参謀本部議長）と日米同盟の深化等について議論するため訪米した〉

まるで為政者気取りで米軍幹部に向き合い、集団的自衛権の行使を前提としたかのように日米「同盟」の「深化」を得々と語る制服組トップ。この会談録の「漏洩犯」と名指しされ、警務隊の捜査で塗炭の苦しみを味わっている大貫は、こうした記述が防衛省・自衛隊を焦らせた要因だろうと推測している。

「この問題の核心が何かといえば、2014年12月の段階で『安保法制は予定通り進んでいるか？』と米側に問われている点でしょう。ということはつまり、実はもっと以前から日米間で安保法制をつくろうという話があった。米側からのオーダー、要望があったのかもしれません」

――そう受け止めるのが自然でしょうね。

「そんなことが国会審議中に表沙汰になってしまえば、安保関連法制の審議がひっくり返ってしまいかねません」

――ええ。だとすれば、皮肉を込めていえば、この会談録は当初から正式な秘密に指定しておくべきだったのではないですか？

「その通りです。私に『漏洩犯』の濡れ衣を着せるのなら、これを秘密指定しなかった統幕側の責任などが問われないのはおかしな話です。この一連の杜撰な（秘密の）保全態勢で、統幕の隊員に懲戒処分が行われた話は聞いたことがありません」

これもすでに記したとおり、文書は統幕長・河野の訪米直後に統幕側で作成され、情報本部の統合情報部に在籍していた大貫らにメールで送信されてきた。文書に〈取扱厳重注意〉と刻印されてはいても、防衛省の訓令に基づく正式な秘密ではなく、送信時も機密資料のやりとりに義務づけられた端末は使われていない。

そうした状態のまま文書は、少なく見積もっても数十人の自衛官の間で長期共有されていた。なのに国会で暴露されると、防衛省・自衛隊は慌てて文書を正式な「省秘」に指定し、同時に削除も命じて必死の隠蔽を図った。それほど機微な内容だったなら、当初から秘密指定しておかなかった統幕側の担当者らの過失を問わねば、確かに合理性を欠く。

一方で私は、安易に秘密が横行するような行政のあり方を支持しない。それは防衛省・自衛隊といった組織でも同様である。防衛や外交といった分野で一時的に秘密が必要になっても、それは徹底して最小限にとどめるべきであり、いずれは公開されて歴史の審判を受けねばならない。したがって特定秘密保護法のような悪法にも断固異を唱える。

そして大貫も指摘したように問題の会談録からは、米国と米軍にオーダーされ、要望され――もっと直截な言葉遣いをすれば、指示され、命じられ、日本側がそれにすり寄って集団的自衛権の行使容認に踏み切っていく日米「同盟」の本質と安倍政権の安保政策のありようが透け見える。

14

その証左の数々を会談録からやや細かく引いてみる。統幕長の河野は、米陸軍参謀総長だったオディエルノに対し、こうも語っている。

〈北朝鮮の脅威という観点から申し上げると、経ヶ岬にTPY-2レーダーが設置され本年末に運用を開始すると認識している。このレーダーの設置、運用について全面的に協力したいと考えている〉

〈安倍政権の以前は防衛関係費は減少傾向にあったが、現在は増加傾向にあり、陸上自衛隊においてはV-22オスプレイ、AAV7を導入する〉

ここに登場する「TPY-2レーダー」とは、京都府の日本海沿いに新設されたミサイル防衛のための米軍Xバンドレーダー基地を指す。第2次安倍政権の発足後、初めて行われた日米首脳会談で日本側が約束し、防衛省が京丹後市の民間地を収容して2014年末に完成した。米国本土の防衛などを目的に弾道ミサイルを探知・追尾するための施設とされ、すでに地元では騒音や電波による被害、米軍関係者による事故なども問題化している。

また、V‐22オスプレイは言うまでもなく米軍で最新鋭とされる大型輸送機を、ＡＡＶ７は米海兵隊が運用している水陸両用車を指し、いずれも自衛隊への導入が決まっている。つまり、地元住民にとっては迷惑施設である新基地を米軍に提供し、同時に米軍装備を大量購入することを、必死になって米軍幹部にアピールしている——という図式である。

こうした統幕長のたたずまいは、米国防副長官ロバート・ワークとの会談になると、さらに露骨さを増す。少し長くなるが、ふたたび会談録から引用する。２０１４年12月18日午前、米国防総省で行われたワークとの会談のやり取りである。

〈**ワーク**　自衛隊はこの1年来、防衛能力向上のため様々な取り組みをしてきた。このような努力の継続のため予算的な制約はあるか？

河野　これまでの10年間においては防衛予算は減少傾向にあったが、安倍政権になってからは増加傾向にある。中国の活動が活発化していることを踏まえると今後も防衛予算は増える傾向にあると考える。このような流れの中でF‐35、E‐2D、グローバルホーク、オスプレイの導入が決まった。

これら取り組みは日米の相互運用性の向上につながるものであり、日米同盟の深化に資するものである。

また、今回F‐35のリージョナルデポが日本に決まり、貴官をはじめとする関係者に感謝するとともに、本件は相互運用性向上のために重要な決定であると認識している。オスプレイのリージョナルデポについても日本に置いて頂けると更なる運用性の向上となる。

ワーク　その件についてはまだ私まで報告がされていない。オスプレイ導入に関して日本国民の不安は低減されただろうか？

河野　以前に比べ低減されたように思う。

ワーク　オスプレイは海兵隊の装備品の中ではもっとも安全性の高いものである。しかしながら初期の事故により不公平な評価を受けることになり残念である。

河野　オスプレイに関しての不安全性を煽るのは一部の活動家だけである〉

15

実用前の段階から世界各地で事故が発生し、一時は「ウィドーメイカー＝未亡人製造機」などと揶揄されたオスプレイについては、この会談後も各地で深刻な事故が相次ぎ、ついには事故率が米海兵隊機全体のそれを上回るに至っている。上空を縦横に飛び回る沖縄を中心として地元住民の不安と懸念が高まるのは至極当然のことだが、自衛隊制服組のトップが「オスプレイに関しての不安全性を煽るのは一部の活動家だけである」などと言い放って恥じない鈍感さと傲慢さをどう評するべきか。せめて「地元住民は懸念を深めている」、あるいは「事故の再発防止に万全を尽くしてほしい」とでも言って米軍側に釘をさすのが、多少なりとも真っ当な心性を持つ日本の自衛隊トップとしての振る舞いではないのか。

しかも、ここでも統幕長のすり寄りぶりは突出している。「予算的な制約はあるか」と〝上から目線〟で質す米国防副長官に対し、「安倍政権になってからは増加傾向にある」「今後も防衛予算は増える」と応じ、統幕長の河野が次々と挙げた兵器の数々——F‐35は米国ロッキード・マーティン社製の最新鋭戦闘機を、E‐2Dは米国ノースロップ・グラマン社製の早期警戒機を、グローバルホークもやはり米国ノースロップ・グラマン社製の無人機をそれぞれ指し、中には1機100億〜200億円以上という目の玉の飛び出るような超高額兵器も含まれているが、いずれもオスプレイなどと同様、自衛隊への導入が着々と進められ、現政権ではその勢いが急激に増している。

また、会談録にあるF‐35の「リージョナルデポ」とは整備拠点のことで、戦闘機の維持管理費などを日本側に担わせる狙いがあるとも指摘されているのだが、オスプレイのそれまで日本に置くようわざわざ統幕長からリクエストしている。

その上で、統幕長の河野は米軍幹部らに次々とこう訴えたと記録されている。これらも少し長くなるが、大切な部分なので、さらに会談録から引用しておく。

〈集団的自衛権や検討中の安保法制が実現した際には日米の関係はより深化する〉（米軍統合参謀本部議長だったマーティン・デンプシーに対して）

〈衆院選で安倍政権与党が圧勝した。今後は集団的自衛権の議論が進み、集団的自衛権の行使が可能となった場合は自衛隊の役割も拡大することができ、米軍と自衛隊との協力関係も深化する〉〈オスプレイ、AAV7の話に戻ると、貴官の権限ではないとは思うが、日本としてはオスプレイのリージョナルデポについても日本に置いて頂きたいと考えている〉（米海兵隊司令官だったジョセフ・ダンフォードに対して）

〈これまで日本は個別的自衛権のみであったが、集団的自衛権が行使できるようになればガイドラインの見直し作業を踏まえて日米同盟が深化する〉〈F－35のリージョナルデポが日本に決まったと知らせを受けた。この決定は厳しい安全保障環境において非常に喜ばしいことであると認識している。また、日本はF－35、E－2D、グローバルホークを導入することを決めた〉（米空軍副参謀総長だったラリー・スペンサーに対して）

つまり、自ら嬉々として米国にすり寄り、超高額兵器を大量購入することを盛んにアピールし、新たな基地まで提供し、そして米側の意向に沿って集団的自衛権の行使に道を開き、「同盟」の「深化」と称して米軍への従属体制を強化していく――そんな構図が文書からは見事に垣間見える。

16

思い出されるのは、２０１７年11月に米大統領のドナルド・トランプが初来日した際のことである。東京・元赤坂の迎賓館で開催された日米首脳会談後の共同記者会見で、トランプは〝死の商人〟であることをまったく恥じぬかのように異例の注文を公然と口にし、首相の側もこう応じた。

トランプ「日本は大量の武器を買うのが好ましい。そうすべきだ。米国は世界最高の武器を持っている」

安倍「日本は防衛装備品の多くを米国から購入している。安保環境が厳しくなる中、さらに米国から購入していく」

米大統領がバラク・オバマからドナルド・トランプへと代わり、日米両政府の関係にも変質が起きているのは事実だろう。ただ、少なくとも安保体制については戦後、米軍への従属化が一貫して進んできた。それは「戦後レジームからの脱却」を表面上は訴える現政権の下、かつてないほど加速度を増し、究極の「戦後レジーム」というべき米国への追従体制には一層拍車がかかっている。集団的自衛権の行使を容認する安保関連法制はその一つの到達点といえる。

そうした日米「同盟」の内実が露骨に示された会談録であり、しかも安保関連法制の国会審議が佳境に入った時期だったから、防衛省・自衛隊は躍起になって会談録の隠蔽に走った。と同時に、「漏洩犯」を血祭りにあげることで組織内の締めつけを図る必要にも迫られた。

その〝生贄〟として眼をつけられ、〝血祭り〟にあげられた大貫は、警務隊による過酷な取り調べで「この件は官邸マターだ」「行政の長も激怒している」と恫喝され、身に覚えのない「漏洩」の「自供」を迫られたと憤りを露わにした。その警務官らの台詞はおそらく、防衛省・自衛隊の本音だったろう。いや、官邸や行政の長どころか、米国や米軍が憤り、あるいはそれを怖れて隠蔽と「漏洩犯」探しに突き進んだ、とも考えられる。

以上のような内実を私に証言した大貫は、繰り返しになるが、現在も防衛省の情報本部に勤務しつつ無実を訴え、不当な捜査を受けたとして国を相手に損害賠償請求訴訟も起こしている。その公判は、さいたま地裁ですでに始まっている。

当初の公判で国側は、「捜査中」を理由として事実関係の認否すら拒んだ。またも皮肉交じりに言えば、それも無理はない話である。大貫が文書の「漏洩犯」だと疑ったことを明かせば、文書が「存在した」ことを自ら認めてしまいかねない。逆に「存在しない」という建前を貫けば、そもそも何の容疑で大貫を強制捜査の対象としたのか、警務隊の行動の根本的矛盾が露呈してしまう。

実質的に捜査が終了した2016年3月から約1年半後、ようやく警務隊は大貫を東京地検に書類送検したものの、検察は不起訴処分を決定したことは前述した。もはや「捜査中」の言い訳は通用せず、防衛省・自衛隊も頭を抱えているにちがいない。

最後に大貫が言う。

「森友、加計学園の問題をめぐる政府の態度を見れば、公判でも認否しないだろうと予想はしていました。『行政の長』の意向に逆らえないのか、忖度してしまっているんでしょう」

――しかし、警務隊の捜査は不起訴によって終結しているわけですから、もはや認否を拒むというのはおかしな話です。

「ええ。いい加減に国会で嘘の答弁をしたことと、不当な捜査をしたことを認めてほしい。私が望むのはそれだけです」

大貫が起こした国家賠償請求訴訟の行方は今後も予断を許さない。ただ、これを大貫個人の問題に矮小化してはならない。大貫の身に降り掛かった惨劇は、森友・加計学園問題などに通じるこの国の行政の情報隠蔽体質と、さらには日米「同盟」の歪な本質を見事なほどに照射している。問題はまだ何ひとつ解決していない。

なお、大貫へのインタビュー後の２０１７年12月、大貫が起こした訴訟で国側は、文書の存在を事実上認めた。つまり首相や防衛相は国会で虚偽答弁をしたことになるのだが、しかしこれも、国会やメディアで大して問題視されていない。

第2章
「私が従事してきた謀略活動と共産党監視」

——元・公安調査官が実名告発

1

法務省の外局に公安調査庁という行政機関がある。警察の公安部門としばしば混同されるが、もちろん両者はまったくの別物であり、公安調査庁を評して〝情報機関〟などと位置づける向きもあるが、これも厳密には間違っている。

戦後間もない1952年、破壊活動防止法（破防法）の制定に伴って設置された公安調査庁は、調査権限と活動内容に厳重なタガが嵌められてきた。破防法に基づく規制請求とそのための調査こそが公安調査庁の任務であり、それを逸脱してはならず、なんでもかんでも情報収集することなどは決して許されない。詳しくは後述するが、破防法が集会・結社の自由などを侵しかねない劇薬法であるため、規制請求のための調査にあたる公安調査庁の活動にも厳しい制約が課せられたのである。

さらに言うなら、戦後日本に専門の情報機関は存在せず、警察の公安部門＝公安警察にしても、あくまで警察の一部門にすぎない。したがってその情報収集対象もおのずから警察活動の範囲内にとどめることが本来は求められる。

とはいえ、公安警察が警察活動の枠を踏み越えた情報収集活動を行ってきたのは歴史的な事実であり、後述するように公安調査庁も近年、活動範囲のタガを外そうと躍起になってきた。また、内閣の情報機能を高めると称して１９９８年に新設された内閣情報会議には、公安警察の総元締めである警察庁警備局や防衛省の情報本部、内閣情報調査室などとともに公安調査庁も参画している。このため日本の〝インテリジェンス・コミュニティ〟なるものの一角を占めると語られ、公安調査庁も公式ホームページなどで「我が国情報コミュニティの一員」などと自称している。

その公安調査庁をめぐって奇妙な噂が漏れ出し、私の耳にも届いてきたのは、２０１７年に入って間もないころのことであった。国際テロ対策を担当していたベテランの公安調査官がイスラム教に改宗し、対処に困り果てた公安調査庁がついには無理矢理に辞職に追い込んだ――そんな噂だった。

公安調査官といっても、もちろん信仰の自由はある。ただ、噂が事実ならミイラ取りがミイラになった感は否めず、公安調査庁も対応に頭を抱えていたらしい。実際に取材を試みると、当事者の公安調査官――正確には「元」調査官が、私のインタビューに応じてくれるという。しかも実名を出してもらっても構わない、と――。

あらかじめ約束したインタビュー場所に現れた元調査官は、イスラム教に改宗したことが一目で分かるような、いかにもムスリム（イスラム教徒）らしい服装に身を包んでいた。名前は西道弘、取材当時の年齢は57歳。中央大学法学部を卒業後、１９８２年に公安調査庁入りし、下部機関の関東公安調査局などに所属しつつ、日本共産党の情報収集や旧ソ連関係の情報分析などを担当してきたという。

以下、そのインタビュー内容を可能な限り紹介していきたいと思う。自身がムスリムになった理由や辞職の経緯はもちろん、2020年の東京五輪などを見据えて「テロ対策」の掛け声が喧しいこの国の〝インテリジェンス・コミュニティ〟なるものの内実と治安官庁の本質論に至るまで、驚くほど赤裸々にすべてを明かしてくれたからである。

2

「もともとは共産党調査や旧ソ連関係の情報分析などを担当してきた私が、関東公安調査局で国際テロ関連の調査業務に関わるようになったのは1996年のことでした」

――国際テロ関連というと、具体的にはどのような調査を行うんですか。

「実質的には在日イスラム教徒のコミュニティ対策、要は在日イスラム教徒の人びとの監視と関連の情報収集ですね。1998年にはCIA（米中央情報局）での研修にも参加しました」

――そうした調査活動の中でムスリムに改宗することになったわけですか。

「もともと私はクリスチャンで、洗礼も受けていたんですが、20年ぐらい前から調査のために勉強をするうちイスラムに惹かれました。特に中田考先生の知遇を得て、勉強会や講座などに参加させていただいて、さまざまな方の話を聞いたのが大きかった。実際に改宗をしたのは昨年（２０１６年）の7月です」

ここで西が言う「中田考先生」とは、メディア関係者らには著名なイスラム法学者である。東大文学部でイスラム学を学んだのちにエジプト・カイロ大学へと留学し、同志社大学でも教授として教鞭を執った。中田自身もムスリムであり、イスラム関係の著書が多数ある一方、２０１４年に北海道の大学生が「イスラム国」に参加しようとした疑いで警視庁が捜査した際、大学生と「イスラム国」を〝仲介〟したとして家宅捜索を受け、それはメディアでも伝えられたから、ご存知の方もいるだろう。西へのインタビューに戻る。

――中田考さんは公安調査庁も危険視し、監視対象にしていたのではないんですか？

「いえ、当初は国際テロ問題の専門家ということで、公安庁が講師としてお招きしたことも何度かあったほどです。それがいつからか監視対象となり、現在は最高レベルの監視対象者です。本来なら、〝大衆アンテナ〟としておつきあいいただくことも可能だったはずなのですが……」

――大衆アンテナ？

「昔は〝大衆協力者〟と呼びましたが、監視対象組織の内部や周辺事情、治安情勢などについて知見のある学者や文化人、マスコミ関係者などのうち、公安庁とおつきあいしてくれる方々のことを現在は〝大衆アンテナ〟と言うんです。その中でさらに公安庁への協力度が高く、これは美味しそうだということになれば、協力者に仕立てていくこともあります」

これは公安警察もまったく同じだが、監視対象と狙いを定めた組織の内部や周辺に「協力者」と称する情報提供者＝スパイを獲得・運営する作業は、日本の公安組織が共通して最も重視し、熱心に取り組んできた情報収集活動である。報酬としてカネを支払い、あるいは弱みを握ったりして脅し、すかし、時には熱心に口説き落として「協力者」へと仕立てあげていく。

これを公安警察では内部で「サクラ」とか「チヨダ」とか「ゼロ」といった隠語を冠した警察庁警備局内の秘密組織が、公安調査庁では本庁総務部の参事官室が、それぞれ一元的に管理・統轄する。人権面はもちろんのこと、法的にもグレーな面のある極めて危うい工作作業だからである。

しかし、西は公安調査庁の協力者工作の実態をこんなふうに自嘲した。

「まったく〝インテリジェンス〟などと言うのも恥ずかしい、〝なんちゃって情報機関もどき〟ですよ。たとえば、公安庁では協力者からの情報をＡＢＣでランク付けします。当然ですがこれは一応、客観的な評価ということになっています。一方で協力者獲得工作の現場からは異論もあって、工作の苦労が反映していないじゃないかという不満もありますが、いかに苦労したかなんて情報の評価自体とは無関係ですから。ところが、ある公安調査事務所で最近、こんなことがあったんです……」

そう言って西が明かしたエピソードは、なんとも唖然とさせられるような話だった。

3

西によれば、関東某県の公安調査事務所で少し前、若手調査官の運営する協力者からの情報が、異様に高く評価されはじめたことがあった。不審に思って調べたところ、背後には公安調査庁内の幹部人事が絡んでいたのだという。続けて西の証言である。

「その事務所にいる子飼いの首席調査官を出世させるため、親分格の本庁幹部が仕組んだことだったんです。事務所に在籍する調査官の協力者情報の評価が高ければ、首席調査官の評価も上がりますから。ところが情報評価を異様に高くつけてしまったため、（協力者への報酬として）月に20万円も支払うことになってしまって……」

——月に20万？　私が知る限り、公安警察でもそれほど高額な報酬を払う協力者は多くないはずです。

「公安庁でもあまりいないと思います」

——事実なら本当に馬鹿げている。

「ええ、国民を愚弄した話です。先日成立した共謀罪法のおこぼれに公安庁があずかることはないでしょうが、こういう法制で（治安機関の）権限を拡大し、情報収集だと称して監視や尾行、張り込み、（協力者との）飲み食いなどを繰り返しても、所詮は劣化した連中につけこまれてしまうだけです。レベルは雲泥の差ですが、かつてブッシュ米政権が亡命イラク人のインチキ情報に乗せられ、大量破壊兵器があるんだと言ってイラク戦争をはじめましたね。それと似たようなことが起きかねません」

――ガセ情報に踊らされてしまうだけだと？

「そうです。公安庁がまさに典型的ですが、狼少年的な情報をもたらす協力者は評価が上がりがちです。ムスリムに限らず、日本ではテロなど起きないとか、不審者なんていないといった情報はまったく評価されない。そうすると、カネが欲しい劣悪な協力者は話を盛ってしまう。盛るだけならまだしも、いちから作りあげてしまう。それを調査官が見抜けないばかりか、調査官が話を作ってしまうことすらある。幹部が歪めてしまうこともある。実際、庁内での出世のために情報評価を高くつけるようなことまで横行しているわけですから」

冒頭で記したように、公安調査庁は戦後間もない1952年、破防法の成立を受ける形で発足した。団体の解散命令までが可能な破防法は集会・結社の自由を根本から侵しかねない劇薬法であり、制定時には全国で激しい反対運動が巻き起こったが、共産党が武力革命を目指しているのだと治安当局が睨んでいた時代、いわば「反共」「防共」体制の落とし子として産声をあげたのである。

と同時に、破防法が劇薬であるがゆえ、規制請求のための調査にあたる公安調査庁の活動にも、それなりに厳密な歯止めがかけられた。過去に暴力主義的破壊活動を行い、将来も行う恐れのある団体に調査対象を限定し、公安調査庁内ではこれを「調査対象団体」などと呼び、他に踏み外したような調査は許されない。現実には逸脱調査も横行してきたのだが、要するに公安調査庁は〝情報機関〟などではなく、正確に言えば破防法に基づく調査・規制請求機関にすぎないという理由はここにある。

その団体規制にしても、破防法の制定から現在に至るまで一度たりとも実施されておらず、関係者からは〝抜かずの宝刀〟などと揶揄されてきた。ただ一度、1995年にオウム真理教への団体規制請求に踏み切ったものの、警察捜査が進んで教団はすでに壊滅状態だった上、公安調査庁の請求のお粗末さも相まって、請求の適否を審査する公安審査委員会から見事に棄却されてしまう。当時は通信社の記者としてこの手続きの一部始終を取材していた私は、スポーツ紙や夕刊紙のコピーまで「証拠」として公安審査委員会に提出した公安調査庁のデタラメと無能ぶりに呆然としたことをいまも鮮明に思い出す。

しかも1990年に前後して冷戦体制が終焉を迎え、「反共」「防共」をレーゾンデートルにしてきた公安調査庁への逆風は強まり、当時の政府・与党内からも公然と「不要論」が語られるようになっていた。それでも近年は、〝オウム対策法〟としてつくられた団体規制法に基づく教団派生団体の監視業務を公安調査庁が担い、かろうじて組織を維持してきたのが実態に近かった。

事実、公安調査庁の定員は1974年のピーク時には2000人を超え、全国の都道府県に公安調査局や公安調査事務所を配置していたものの、徐々に定員は減らされ、200

0年ごろには1500人を割り込むようになっていた。各地の事務所の整理・統合も進められた。

これも私がかつて通信社記者として取材したことだが、危機感を強めた公安調査庁内ではこのころ、「不要論」に抗うためのさまざまな策略が密かに練られてもいた。その全貌は2000年に上梓した拙著『日本の公安警察』（講談社現代新書）に記したからここで詳述はしないが、「反共」「防共」の治安機関として日本共産党を最大の調査対象にしてきた公安調査庁が、内部の機構を組み替え、調査対象を大幅に拡大して〝公安情報の総合官庁〟を目指そうと企てたのである。しかも一般の市民団体や非政府組織、果てはペンクラブやメディア関係者にまで調査の射程を伸ばそうとしていた。

言うまでもなくこれは、公安調査庁に従来嵌められてきたタガを解き放つものであり、集会・結社や言論・表現の自由といった民主的価値と真正面からぶつかりかねない。いや、そもそも公安調査庁にそれほどの能力があるのかという根本的疑問もあって、幸いに以後もさほど大きな存在感を示せぬままの状態がつづくこととなった。

ところがこの数年、状況が少し変わった。減らされつづけた定員も増加に転じ、2017年には1600人近くにまで増員されている。理由は記すまでもないだろう。国家の治安機能の強化に執心する政権の登場と、東京五輪などを控えて「テロ対策」が盛んに呼号される昨今の日本社会の風潮が背景には横たわっている。同時に予算面でも変化があったようである。

そんな公安調査庁内の最近の内実について、ふたたび西の証言に耳を傾けてみよう。

4

「あれはたしか東日本大震災から間もない時期のことです。公安庁が復興予算で車を何台も購入したことなどがクリティサイズ（批判）されましたね」

——ええ。法務省全体でみると、被災地とはなんの関係もない刑務所を改修したり、高額な機器を購入したり、復興予算への便乗だとメディアで批判され、会計検査院からの指摘も受けています。

「公安庁は、東北で過激派調査をする必要があると称して車などを買い込んだんです。その時に買ったとみられるバン型の車にビデオや監視用のカメラを設置しましてね。〝ニンジャ〟って言うんです」

——ニンジャ？

「公安庁内の通り名、隠語のようなものです」

——内部でそう呼ぶんですか。

「そうです。車の中が見えないように窓ガラスにはスモークを貼ってあって、要するに調査や監視用なんですが、使い勝手が悪くて、あまりに怪しくてバレやすいから、ほとんど使われていないようですが（笑）」

——かつて公安調査庁は、東京・代々木の共産党本部前のマンションを借りて監視カメラを置いていたのが共産党に〝摘発〟され、大問題になるという失態を犯していますからね。昔ながらの共産党調査も、相変わらずやっているわけですか。

「ええ。公安庁内の上（上層部）には、〝共産党原理主義者〟みたいな人がいまだにいますから」

——共産党の調査と監視こそが最大使命だと公言するような、まるでカビの生えたようなアナクロ幹部は、私が取材していたころの公安警察にもいました。

「公安庁はそんな人物が最近も本庁の調査第1部（公安調査庁内で主に国内調査を担当する部門）の幹部に就いてしまって、平成17（2005）年ごろから平成22（2010）年ごろまで『共産党ＰＴ作業』と称して、実に5年ぐらいにわたって大々的な工作を行ったんです」

——2000年代に入っても共産党対策ですか。いったいなぜ？

「協力者が年々高齢化してきて、亡くなる人も多かったりして情報の質も量も低下している、ダウンしているから、『党中央に風穴を開けるんだ』と称して……。私も駆り出されましたよ」

——具体的にはどのような工作を？

「昔ながらの手法です。とにかく末端に至るまでの党員を監視や尾行で延々と追い回して、相手の立ち寄り先だとか趣味嗜好だとか、常連になっている飲み屋だとかをつかんで、できれば弱みを握って……。気の遠くなるような作業ですが、典型的なマニュアルどおりですよ」

これも公安警察の工作作業と相似形なのだが、前述したように協力者獲得工作では、ありとあらゆる手段が駆使される。まずは自宅や職業、勤務先、家族構成といった基礎情報がかき集められ、交友関係や立ち寄り先、収入や借金といった経済状態や酒癖、果ては性癖や異性関係などまでが調べあげられ、脅したりすかしたり、そして大抵は金銭的報酬などもちらつかせて協力者に仕立てあげていく。

これこそがまさに西の言う「マニュアル」である。ただ、公安警察が北海道から沖縄に至るまで全国津々浦々に情報網を張りめぐらし、強大な法的権限も持っているのに比べ、公安調査庁にはそこまでの人員も強制権もない。畢竟（ひっきょう）、公安調査庁の場合は報酬＝カネをテコにして対象者に接近し、籠絡をはかるケースが多くなる。

「私が試みた工作活動では、共産党のある部門に所属する有望そうな女性秘書に的を絞りました。ずっと尾行をしているうち、その女性が英会話スクールに通っているのを突き止めたので、私の部下だった女性調査官を同じ英会話スクールにも通わせました。もちろんスクールの費用などは調査活動費から出して、接近を試みたんですが……」

――それでどうなったんですか。

「まったくうまくいかなかった（笑）。その女性調査官はもともと精神的に少し問題を抱えていたのですが、メンタル的に病んでしまったというか、体調を完全に悪くしてしまって……」

——そんな時代遅れの協力者工作にこき使われたら当然でしょう。

「ええ。その『共産党PT作業』も、言い出しっぺの幹部がいなくなったら、チャラになってしまいました。そんな調子だから、私の先輩や同僚たちも内輪で集まるとよくこぼしていました。『公安調査官なんてクズのやる仕事だ』『こんなところにいるのは最低だ』って公然と、悪し様に。良くも悪くも公安警察のようなエリート意識はないし、それほどの組織力も能力もない。でも、食うためには仕方ない……。私は聞かれると常々こう言っているんです。『公安警察が何かと言えば、国営の組織暴力団みたいなもので、一方の公安庁は何かと言えば、国営のインチキセールスみたいなものだ』って（笑）」

5

通信社の記者時代から数えれば、四半世紀近くも日本の公安組織や治安機関をウオッチしてきた私は、西の皮肉交じりの自嘲に思わず苦笑しつつ、これまでの取材で見聞きした公安警察や公安調査庁の実態との一致に深くうなずいたのだが、そろそろ話を戻すことにする。ムスリムに改宗したという西が辞職することになった経緯について、である。

「ムスリムに改宗したことを上司には報告しました。しかし、それからさまざまな嫌がらせやパワハラがはじまったんです。特に当時の直属の上司だった首席調査官がひどかった。もともと部下を大声で面罵するような男でしたが、部下を使ってモスク（イスラム寺院）での私の言動を監視し、人格を否定するような発言まで繰り返して……」

――ムスリムに改宗し、ムスリムの監視をするような仕事に矛盾は感じませんでしたか。

「ムスリムだってテロを憎むのは同じですから、本来は矛盾しないはずです。むしろ情報収集しやすい面だってあります。ただ私は、同じムスリムを監視するのが嫌だったので、自ら願い出て配置転換してもらいました。でも嫌がらせやパワハラのために鬱病のような状態になってしまって、結局は辞めざるを得ませんでした」

――公安調査庁ではメンタルを病んでしまう人が多いんですか。

「多いですね。自殺者も多い。毎年1人ぐらいは耳にします。もともと公安庁は、コネで入ってくる職員が目立つんですが、パワハラなどに嫌気がさして辞めてしまうケースも多いと思います。私の初任者研修の同期は40人ぐらいいましたが、そのうち3分の1ほどは辞めたり亡くなったりしてしまいました」

――コネで入ってくる職員というのは？

「親子2代で調査官をやっているとか、調査官同士のカップルとか、庁内には姻戚関係者が結構います。私の場合、叔父の同級生が調査官で、その方に勧められたのが入庁のきっかけでした。そういった親分子分的な関係のほうがこういう仕事はやりやすい、というこだわりもあるようですが、一方で妙な仲間意識が調査官の態度や思考を単純化して、調査を劣化させていると思います」

——というと？

「私はマスコミ関係者の方々ともたくさん交流しましたが、政府に対して批判的な方とも積極的に会うように心がけていました。そうすると上司は『そんな反政府的な、反権力のヤツらに（調査活動費から交際費などを）出してどうするんだ』などと言い出す。いや、反権力だから付き合う価値があるのであって、右寄りの提灯持ちみたいな連中といくら親しくなっても情報なんて取れない。そんな姿勢で〝インテリジェンス〟なんて片腹痛い話です。昔、公安庁を辞めた人物が『お笑い公安調査庁』という本を出しましたが、こんなマンガのような役所に『テロ対策』などできるはずがありません」

ムスリムに改宗したことをきっかけに辞職へと追い込まれた元調査官・西には、古巣への私憤のような感情も渦巻いているようだった。それが古巣に対する過剰な悪罵となって表出している面があるのも否めないだろう。

ただ、それを割り引いても日本の〝インテリジェンス・コミュニティ〟なるものの一角を占めると自賛する公安調査庁の実態は薄ら寒い。このような治安組織に人員と予算を与え、活動の幅を広げても、西が言うように「テロ対策」の役に立たぬばかりか、貴重な血税の無駄遣いになるだけなのを知るべきだろう。いや、血税の無駄遣いなどにとどまらず、私たちの社会の自由や人権といった価値を毀損してしまいかねない。それは共謀罪をついに手に入れた公安警察にも同じようなことがいえる。

最後に、西の証言内容が事実か否かなどを公安調査庁の渉外広報調整室にぶつけたところ、「当庁の今後の業務遂行に支障をきたす恐れがあるので回答を差し控えたい」とのコメントが戻ってくるだけだった。

第3章

抵抗の拠点から

2015年3月29日　茹でガエル

「こんな重要なこと、なぜメディアはもっときちんと伝えないんでしょうか」

先日、ある市民集会に招かれた際、真正面からそう尋ねられて言葉に詰まった。私だってメディア界の片隅で禄(ろく)を食(は)んできた身だから、他人事(ひとごと)のようなメディア批判でお茶を濁すわけにはいかない。たしかにそのとおりだと頭を垂れるしかなかった。

集会は、いわゆる盗聴法（通信傍受法）強化の問題点を考える勉強会だった。

捜査機関が電話などを傍受する盗聴法が成立したのは1999年。憲法が保障する「通信の秘密」を侵すものだから、当時は国会でもメディアでも激しい反対の声が巻き起こり、薬物や銃器事件など4種の犯罪に限る形で導入された。

この盗聴法を大幅強化する改正案がこの3月13日、閣議決定された。盗聴の範囲を窃盗や詐欺といった一般犯罪にまで拡大し、これまで義務づけられていた通信事業者の立ち会いも不要とする内容であり、捜査当局の盗み聞き、盗み見が「やり放題」になりかねない。

ところがメディアの反応は鈍い。盗聴法強化は警察や法務・検察が虎視眈々(たんたん)と機会をうかがい、ついに改正案が姿をあらわしたというのに、これに抗(あらが)う報道はあまりに少ない。

同じことはマイナンバー制にもいえる。2013年に関連法が成立し、2016年から運用されるマイナンバー制は、妙にソフトな名称を冠しているものの、国民全員を番号で管理する国民総背番号制にほかならない。社会保障や課税などの面で利便性があるとはいえ、国家による個人情報管理は極度に強まる。利用範囲が拡大すればありとあらゆる私的情報が串刺しにされ、情報漏洩（ろうえい）した際の被害も甚大で、巨額のコストに見合うメリットがあるのか疑念も呈されてきた。

このマイナンバー制も3月10日、関連法改正案の閣議決定が行われた。個人の預金口座や一部の医療分野でも利用する内容で、図々しくも施行前から利用範囲を拡大しようというのである。しかも預金や医療に関わるデータは最も敏感な個人情報である。

昨年末に施行された特定秘密保護法もそうだが、現政権（第2次安倍政権）の下、国家機能や治安機関の権限を強化する動きが矢継ぎ早に示されている。ただ、現首相が執念を燃やす安保分野とは異なり、警察や法務・検察、国税などの治安官僚が主導している色合いが濃い。かねて欲しかった悪法を、「現政権なら通してくれる」と見越し、一挙に提示してきているのが実態に近い。

それにメディアはきちんと反応し、問題点を指摘できていない。安保分野を中心とした現政権のやりたい放題に振り回され、ついていけなくなっているのか。それとも暴政に慣れ、感覚が麻痺しているのか。前者だとしたら情けなく、後者だとすれば死亡寸前の茹（ゆ）でガエルに近い。

2015年4月5日　焼け太り

前回の続きになるが、いわゆる盗聴法（通信傍受法）を大幅強化する関連法の改正案が3月13日に閣議決定される契機となったのは、大阪地検特捜部で2010年に発覚した証拠改竄（かいざん）事件だった。

と書いても、多くの方は訳が分からないだろう。検察の大不祥事がどうして捜査権限の強化につながってしまうのか、と。

経緯をあらためて簡単に説明する。

押収証拠を改竄して無実の人を犯罪者に仕立て上げようとした検察の悪行は囂々（ごうごう）たる批判を巻き起こし、間もなく法相の私的諮問機関として「検察の在り方検討会議」が設置された。ここには検察の現状に批判的な識者も参加し、密室での取り調べの可視化（録音・録画）といった捜査手法の改善策が話し合われた。同時期、足利事件や布川事件といった重要事件で相次ぎ冤罪（えんざい）が発覚したことも警察や検察捜査の問題点を露呈させ、制度の改善が期待された。

しかし、会議の事務局を担った法務省は必死に骨抜きを図り、2011年3月に「検察の再生に向けて」と題する提言を発すると、議論の舞台は法制審議会に移された。法相の諮問に応じて民事、刑事法などを調査、審議する法制審は、その結論が基本的に法律化される重要機関であり、ここに特別部会を設置して具体的議論を行うことになったのである。

焦点は当然、悪弊だらけの捜査手法の改善策のはずだった。しかし、ここでも事務局を担う法務省が暗躍し、検察批判の世論が沈静化するにつれ、議論をあらぬ方向へとねじ曲げていく。さすがに可視化は導入せざるをえないにせよ、それはできるだけ極小化し、見返りに捜査権限の強化を認めろ、という方向へ——。

結果、可視化は導入されるが、対象は裁判員裁判の事件などに限られた。これは全刑事事件の3%ほどにすぎない。一方、捜査権限の強化策として打ち出されたのが司法取引の導入と盗聴法の大幅強化。司法取引導入は日本の刑事司法の大きな転換であり、盗聴法は窃盗、詐欺などに対象犯罪を拡大すべきだと結論づけた。全刑事事件の7、8割を占める窃盗まで対象とし、通信事業者の立ち会いも不要とする内容だから、盗聴の「やり放題」になりかねない。

私は長年にわたって警察、検察、そして裁判へと至る刑事司法を取材してきたから断言するのだが、この国の刑事司法は先進民主主義国でも相当に非民主的な低レベルにある。警察や検察に捕まるなどという経験をする人は少ないからさほど注目されないが、冤罪に苦しんだ人びとの話に耳を傾けると、あまりの不条理に言葉を失う。

刑事司法制度に冤罪の温床が潜んでいるのは明らかなのに、その改善に努力せず、不祥事すら自らの権益拡大につなげる法務・検察をどう形容すべきか。火事場泥棒。居直り強盗。そんな法務・検察が主導する関連法改正案は今後、国会で審議されるが、現在の政治状況を考えると、大した批判もなく成就してしまいそうである。

2015年5月31日　壊死する「自由」

捜査当局や治安組織の権限を強めれば、たしかに治安は多少よくなるかもしれない。ただ、かわりに私たちは「自由」という最も大切な価値を譲り渡すことになる。以前書いた盗聴法＝通信傍受法の大幅強化策もそうだが、他にも類似の動きは続々と進む。たとえばGPS（全地球測位システム）情報の捜査利用。

もはや携帯電話やスマートフォンを持たぬ者は圧倒的少数派だろう。ツイッターやフェイスブックなどの類いには一切手を出さない私だってスマホは持つ。そこにはGPS端末が組み込まれ、便利は便利だが、通信事業者には利用者の所在地がピンポイントで把握される。

捜査機関も食指を動かす。いや、警察によるGPS情報の利用は着実に広がっている。なのに法による明確な規制やルールはない。あるのは総務省が作成している指針のみ。

その指針がこのほど改定された。これまで警察による携帯やスマホのGPS情報取得に際しては、当然ながら裁判所の令状が必要とされ、相手方に通知することも義務づけられていた。

しかし、新指針は警察側の主張を受けて相手方への通知が不要とされた。つまり、裁判所の令状さえ取得すれば、警察は当事者の知らぬうちに24時間、所在地や移動経路をリアルタイムで追跡できる。

捜査当局にとっては便利なツールだろう。さまざまな事件捜査に役立つのも間違いない。ただ、役所の指針でこのようなことを定めるだけでいいのか。

一般的な強制捜査などであれば、受けた側は権利侵害を明確に認識できるが、ＧＰＳ情報の取得は当事者が分からぬうちに行われる。通知すらなくなれば、当事者は永遠にそれを知ることができない。

いうまでもないことだが、いつ、どこに、どれくらいいたかという情報は、誰にとっても究極のプライバシーである。あなたは今日、どこをどう移動してどこに行ったか。どこにどれほど滞在したか。すべてを知られるとすればゾッとはしないか。

少なくとも私は鳥肌が立つ。私たちの仕事にかんしていえば、取材の情報源すら把握されかねない。

ならば、捜査に便利なツールであれ、少なくとも事後には情報取得の事実を当事者に通知すべきだし、役所の指針などではなく法で明確に規定すべきだろう。すでに運用されている捜査用のＧＰＳ端末を含め、当局の権限ばかり肥大化させて皮相な「安心安全」に浸かろうとすれば、それに比例して私たちの自由はどんどんと壊死する。

それにしても、盗聴法を含めた警察の権限強化の動きをメディアはなぜもっと騒がないのか。安保法制に引き回されている面はあるにせよ、全国に数多いる警察担当記者たちはそんな報道とは無縁なはずだ。日々の取材で警察幹部に問い質し、問題点を掘り下げようという記者はいないのか。

だとすれば、おそるべきニュースセンスの摩滅である。そちらの方も私には怖い。

2015年6月21日　抵抗の新聞人

ある市民講座の講師を引き受けた関係で、以前読んだノンフィクション作品を何冊も読み返した。名作ノンフィクションを通じて歴史と時代を考える、というのが講座に課されたテーマだったからである。

井出孫六著『抵抗の新聞人　桐生悠々』（岩波新書、絶版）はたしか、高校生の時に読んだ。青臭くて気恥ずかしいが、私が記者を志すきっかけのひとつになった本だから、その後も何度か読んだ。ただ、今回はことさら深く胸に響いた。

１８７３年に生まれ、東京帝大を卒業した悠々は、明治末期から大正、昭和初期という激動の時代、いまでいう全国紙や地方紙を転々としつつ反骨の筆をふるった。なかでも１９３３年、信濃毎日新聞（信毎）の主筆時代に書いた社説「関東防空大演習を嗤ふ」は、この業界にかかわっていれば、いまだって知らぬ者はいない。

満州事変や五・一五事件などを経た当時、世の空気は一挙にキナ臭さを増していた。そうした中、軍部は報道管制をしいて関東一円の大防空演習を実施する。これに悠々は真正面から疑義を唱えた。

曰く、敵機が帝都の空に飛来するような事態になれば、木造家屋の密集する東京は焦土と化し、阿鼻叫喚の修羅場になる。それはすでに敗北を意味し、実戦には何の役にもたたない。完全に滑稽だ――。

それから10年余り後のことを考えれば予言的とすらいえる論考だが、軍部はもとより在郷軍人会などが怒り狂い、不買運動をつきつけて信毎を脅しあげた。結果、悠々は信毎を追われ、名古屋に転じて個人誌を発行しながら晩年を過ごす。

その個人誌も軍部の検閲と発禁が乱発され、病に侵された悠々は対米開戦直前の41年9月、次の一文を遺して世を去る。

〈小生は寧ろ喜んでこの超畜生道に堕落しつゝある地球の表面より消え失せることを歓迎致居候も唯小生が理想したる戦後の一大軍縮を見ることなくして早くもこの世を去ることは如何にも残念至極に御座候〉

まさに抵抗の新聞人。ただ、著者の井出孫六氏によれば、悠々は思想的な左右などによらず、むしろ新聞人としての筋を通しただけだった。井出氏はこう書く。

〈論説記者桐生悠々は、何度かの筆禍のゆえに新聞史の上で忘れられぬ人物になったけれども、その筆禍は、思想を左右の横軸において彼の思想が左に傾いたために起こったものではなく、時代状況が勝手に右に移動したために引き起こされたところに、その特徴があるといってよい〉

なんだかいまの時代と通底する気配はないか。「畜生道に堕落しつつある地球」に別れを告げつつ、これを見ずに世を去るのは「如何にも残念」と悠々が予測した「戦後の一大軍縮」。その時代を経て70年、世の軸が右へ右へとずれつつある現在。

歴史は繰り返すとはいえ、時代状況も国際情勢も異なるから、同じように繰り返すというつもりはない。だが悠々が書いた論考の数々は、いま汲み取るべき教訓の多さに驚く。だから悠々の遺言、次回も続ける。

2015年6月28日　嵐の夜の蟋蟀

前回に続き、大正から昭和初期に反骨の筆をふるったジャーナリスト・桐生悠々について書く。軍部の暴政にもひるまず、時に敢然と対峙した悠々の文章はいまもまったく古びず、むしろ深く噛みしめるべき教訓に満ちている。

悠々の生涯を描いた評伝『抵抗の新聞人 桐生悠々』によると、米騒動（1918年）の報道を禁じた政府に対し、悠々は次のように激烈な社説を新愛知紙上で発表した。

〈世に新聞紙あればこそ、私共は事件の真相及び状態を知悉することが出来るのである。（略）新聞紙は事実を国民に報道することによって、平生国家的の任務を果たしている。否、事実の報道をほかにしては、新聞紙は存在の価値もなければ意義もない。（略）事実は新聞紙の食糧である。しかるに現内閣は、今や新聞紙の食糧を絶った。事ここに至っては、私共新聞紙もまた起って食糧騒擾を起さねばならぬ。（略）新聞紙たるものはこの際一斉に起って、現内閣を仆すの議論を闘わさなければならぬ。（略）現内閣を仆さずんば、私共自身が先ず仆れねばならぬ〉（抜粋、以下同）

新聞紙はメディアと言い換えてもいい。そして戦前ほど露骨ではなくとも、私たちは特定秘密保護法という悪法で「食糧」を奪われつつある。ならばメディアは一斉に起って現内閣を倒せ、と必死の雄叫びをあげるべきではないか。

悠々はこんなことも書いている。信濃毎日新聞主筆時代の論説である。

〈僕は元来甚だ心弱い。新聞記者として交友を広くすると、特に要路者や、県や市の有力家らと往復すると、まさかの時に筆が鈍ぶる。（略）斯うなると、つい友情の為に絡められて、ついに正義を曲げるようなことが出来しやしないか。だから直接に社に関係ある株主さえも訪うたことがない〉

昨今、首相らと会食にいそしんで恥じないメディア幹部が多いらしい。彼らには、悠々の爪の垢でも煎じて飲ませたくなる。

その悠々は軍部批判で新聞界を追われ、晩年は個人誌を発行して糊口をしのいだ。そこでも無謀な戦争に突き進んでいく社会の歪みをこう嘆いている。

〈今日の日本には、（略）漫に皇国の精神を高調して、精神的に太古の昔に還えらんとしつつあるものがある。（略）広く智識を世界に求めざらんとする鎖国主義者がある。従って、万機を公論によって決せず、自己階級の偏見によって、これを決せんとするものがある。そしてこれが為にアメリカから、ヨーロッパからも排斥されんとしている。これが非常時なのだ〉

薄っぺらな復古趣味と反知性主義に支配され、隣国ばかりか欧米からも疑念の視線を送られる現政権。私たちはこれとどう対峙すべきか。

悠々は最晩年、有名な句を残している。

〈蟋蟀は鳴き続けたり嵐の夜〉

雲行きがおかしくなりつつあるいま、私たちは鳴き続けられるか。いや、そもそも鳴き続けているのか。泉下の悠々にそう問いつめられているように思える。

2015年7月12日　詐話か無知か

現首相は、安保関連法制への批判に対し、ことあるごとにこう強弁する。

「米国の戦争に巻き込まれることは絶対にない」「日米安保条約改定の時も、戦争に巻き込まれるといった批判が噴出したが、そうした批判がまったく的外れだったことは歴史が証明している」（5月15日の記者会見など）

推察するところ、敬愛する祖父の〝業績〟を言祝ぎたいのかとも思われるが、これは明らかな誤りであり、分かっているなら相当悪質な詐話、もし本気でそう考えているなら歴史への無知に唖然とする。

たとえばベトナム戦争を見よ。

１９６４年、ベトナムへの軍事介入を強めていた米国は、米艦艇が北ベトナムに攻撃されたとするトンキン湾事件をでっちあげ、北ベトナムを直接攻撃する北爆を本格的に開始した。

最終的には戦費負担や米兵の犠牲、世界的な反戦運動などに直面して惨めな撤退を余儀なくされるが、ベトナム側だけで２００万人超ともいわれる死者を出し、米軍が大量にばらまいた枯れ葉剤などの影響は戦後も長く人びとを苦しませている。

そして、この攻撃で米軍は沖縄の基地を出撃拠点にした。米本土などから運び込まれた枯れ葉剤も、沖縄からベトナムへと輸送された。沖縄は当時、ベトナム人から「悪魔の島」と呼ばれる屈辱を味わったともいわれ、戦時中の米太平洋軍司令官はこう明言した。

「沖縄なくしてベトナム戦争を続けることはできない」

ご存知のとおり、日米安保条約は５条で米国の日本防衛義務を定め、６条では代わりに日本が基地提供することをうたう。いわゆる非対称の双務性である。

これを踏まえれば、ベトナム戦争で米国は、日米安保条約を最大限に〝活用〟し、不正義に満ちた殺戮（さつりく）戦を繰り広げた。逆にいうなら、日本は米軍の戦争に攻撃基地を提供して支えた。

その後も同様である。在日米軍基地はさまざまな戦争で米軍の拠点とされ、米国は日本にも支援や協力に向けた圧力をかけてきた。これに押されて日本は時に膨大なカネを拠出し、近年は「ヒトも出せ」と迫られるに至った。２００３年からのイラク戦で「非戦闘地域」などという珍妙な概念をひねり出し、自衛隊が米軍支援などにあたったのはその一例にすぎない。

つまり日本は米国の戦争に巻き込まれ続けてきた。これこそが「歴史が証明している」事実であり、逆に現首相の認識は「まったく的外れ」。それでも武力行使や戦闘行為への直接参加を辛うじて免れてきたのは、あらためて指摘するまでもなく、現行憲法と9条という歯止めがあったからである。

その歯止めを現政権は取り払うのだと息巻いている。これで「巻き込まれることは絶対にない」とは笑止。おそらくは詐話師というより無知なのだと思うが、見たくないものは見えないらしい為政者を戴く民は不幸というしかない。

2015年7月19日　変わったのは誰か

沖縄の世論は歪んでいるだとか、沖縄のふたつの新聞はつぶさなければいけないだとか、現首相に近い自民党「若手」議員らの放言を聞き、やっぱりそうかと思い出されることがあった。少し前、沖縄県の翁長雄志知事にインタビューした際のことである。それに前後し、幾度も沖縄を訪れて取材した。印象的だったのは、沖縄で保守と分類される人びとがそろって口にした憤りと嘆きだった。

ご存知のとおり、もともとは翁長知事も、自民党沖縄県連の幹事長などを歴任した沖縄保守政界の重鎮である。その翁長知事はもとより、沖縄の保守や財界人が辺野古への基地建設反対で足並みをそろえることになったのはいったいなぜか。

たとえば2013年の4月28日、サンフランシスコ講和条約が発効して61年の日。

現政権は、これを「主権回復の日」と位置づけ、東京・永田町の憲政記念館で大々的な記念式典を催した。首相を筆頭に三権の長も出席した式典では、壇上の天皇・皇后に向けて会場から「天皇陛下万歳」の声があがり、現首相らも唱和した。

これに沖縄は猛反発した。中でも沖縄保守の怒りは強かった。1952年、サンフランシスコ講和条約が発効した日は、同時に沖縄が日本から切り離されて米軍施政下に置かれた日でもあり、沖縄では「屈辱の日」と長く位置づけられてきたからである。そんな日を「主権回復の日」と称して言祝ぎ、万歳を叫ぶ無知と無神経。

あるいは2007年、第一次となる現政権下での出来事である。

文科省は、高校日本史の教科書検定をめぐり、沖縄戦での集団自決の記述から「軍の強制性」を削除しようと動いた。「自虐史観」批判を繰り返してきた政権の意向が反映されたものとも指摘された。

史実を平然とねじまげようとする動きに、この時も沖縄は猛反発した。翁長知事は私のインタビューに「あれが大きな転機となった」と振り返った。

少なくとも過去の自民党は、これほど愚かでも蒙昧(もうまい)でもなかった。沖縄の基地負担は一向に軽減しなかったけれど、沖縄の歴史と痛みに寄り添う最低限の知性と配慮があった。小渕恵三。橋本龍太郎。野中広務。梶山静六。山中貞則。そうした人びとは、沖縄への配慮を常に胸に抱いていた。

だが、最近は違う。特に現政権とその周辺に集う人びとには、沖縄の痛みへの配慮も、いや、基本的な歴史知識すらない。

つまり、沖縄の保守が変わったのではない、本土の自民党の方が大きく変わってしまったんだ——。同じ話を、翁長知事からも聞かされた。別の保守政界人や財界人からも聞かされた。だから沖縄の怒りは爆発した。保守も革新もなく、辺野古基地建設反対で団結する動きにつながった。

先の「若手」議員らの愚かな放言をみる限り、自民党の劣化はさらに加速しているようである。取り返しのつかないことを口にした、という自覚すら、本人たちにはないのかもしれない。

2015年7月26日　差別的「評価」

特定秘密保護法は施行から半年以上が過ぎ、関係の行政機関などではいま、特定秘密の指定作業が進む一方、いわゆる「適性評価」もはじまっている。

関係機関の職員らを対象とし、特定秘密を取り扱う資格の適否を審査するのが適性評価だが、各紙の報道によると、防衛省や法務省、警察庁など計11の行政機関のほか、全国の都道府県警も作業を開始した。対象者は膨大な数にのぼり、たとえば防衛省は実に6万2000人を超えるという。

ここでいったい何を調べられるか。法の強行制定時にも問題化したことではあるが、特定秘密保護法の条文にこと細かく羅列されている。

前科前歴。交友関係や政治活動歴。精神疾患などの病歴。酒癖。借金を含む経済状況。さらには実の父母や義理の父母、兄弟、子ども、事実婚を含む配偶者・同居人の氏名、住所、生年月日、国籍……。およそあらゆるプライバシー情報が対象となり、家族や配偶者の国籍までが調べられる。

法案作成の事務方を担った内調（内閣情報調査室）の関係者によると、配偶者や同居人が外国籍の場合、仮に米国籍なら問題ないが、中国籍や朝鮮籍だったりするとアウト、などというバカげた話まで漏れ伝わってきている。そのような運用が実際に為（な）されたなら、これはもはや大々的な官製の「差別製造装置」ではないか。

考えてみていただきたいのだが、特定秘密を取り扱う組織内で適性評価にパスできるか否かは、その組織内での個人的立場に大きな影響を及ぼす。もっと直截（ちょくせつ）に記せば、希望部署への異動や出世に直接響く。当然のことだが、重要な部署や職責であればあるほど機微な情報に触れることとなるのだから、特定秘密を扱う資格がないという烙印（らくいん）を押されれば、希望の異動や出世などが閉ざされる者も出てくるだろう。

その判断材料として交友関係や病歴、家族の国籍などをあげるのは、安保関連法案が指弾されているのと同様、重大な憲法違反ではないのか。憲法が掲げる思想・信条・宗教の自由を侵す恐れが高く、適性評価にパスするために配偶者や同居人を国籍で選別するようなことになれば、度し難い差別や偏見の温床となるのだから。

もっと問題なのは、この適性評価が真に「適正」かどうかをチェックする方途すら整備されていない点である。しかも特定秘密を取り扱うのは行政機関に限らない。防衛分野の企業、研究所なども含まれる。そんな調査がいま、「粛々」とはじまっている。

私は思う。少なくとも、そうした組織内の適性評価でアウトを突きつけられた者が行政訴訟等を起こせば、違憲の判断が導き出される可能性はある。すでにフリーのジャーナリストらが行政訴訟を起こしているものの、骨のある公務員らが当事者として闘う姿を期待してしまう。一人くらい、差別的な「評価」に抵抗して暴れる反骨者が現れないものか。

2015年8月30日　昭和史の教訓

『サンデー毎日』2015年8月23日号に掲載された作家の半藤一利氏と保阪正康氏、そして私の鼎談（ていだん）は、2人の大先輩への聞き役となった私の発言はともかくとしても、あらためて熟読してみるに値する内容だった。

なかでも私が注目した論点は2つ。まずは保阪氏による次の発言である。

「僕が不愉快なのは、『本を読まない人、理詰めに考えない人』の特徴が、安倍首相の言説によく表れていることです。そういう人は権力者になってはいけない」「(過去の)首相たちの中にも問題のある人はいたが、ここまで落ちてはいなかった。自民党自体が解体現象を起こし、保守政党が極右政党へと向かったかのようです」

私なりに嚙み砕いていえば、かつてないほどの愚か者が権力の座に就いてしまっている、ということだろうか。それは別に現首相だけの話ではない。類は友を呼ぶ、というべきか、政権周辺には愚か者がうようよしている。

「マスコミを懲らしめろ」と目を吊り上げる議員。「法的安定性は関係ない」と言い放つ首相補佐官。「戦争に行きたくないのは身勝手」とほざくチルドレン。ここまで落ちてしまったのか、とはまさに至言だが、愚か者の治世下で薄暗い社会へとまっしぐらに転げ落ちていっているのだから、それに有効な抵抗もできていない私たちも決して笑えない。

もうひとつ、半藤氏が、

「社会が戦争に向かって動く危険な兆候を、昭和史から学ぶことができます」「これらが着々と進むと、『もうこれしかない』と目の前に戦争を差し出され、国民はそれを受け入れるしかなくなります」

と指摘しつつ挙げた6つの〝危険な兆候〟は、あらためて己の手をしっかりと見つめ返すべきだと痛感させられた。
①被害者意識と反発が国民に煽(あお)られる
②言論が不自由になる
③教育が国粋主義に変わる
④監視体制が強化される
⑤テロの実行が始まる
⑥ナショナリズムが強調される

さて、我々の手はどれほど黒ずんでいるか。もうすっかり黒ずんでしまっているじゃないか、と感じる向きもあるだろうし、大分汚れてはいるが、まだ真っ黒とまではいえない、と言い張る向きもあろう。

ただ、急速に黒ずみが広がっている、という点では、よほど鈍感な者か現政権と同類の愚か者を除けば、異論は少なかろう。「しかも昔よりスピードが速い」と半藤氏は語り、保阪氏は「笑って過ごしていたらとんでもないことになる」と訴えた。

では、どうすべきか。答えはひとつしかない。あきらめずに抵抗を続けること。全力で抗い、不服従を貫くこと。それでも帰還不能点＝ポイント・オブ・ノーリターンを超えてしまえば、おそらくは私も、あなたも、抵抗すらできなくなる。俯(うつむ)いて押し黙るしかなくなる。それも昭和史の教訓だと私は思う。

2015年10月18日　〝神の目〟に制限を

大阪・寝屋川市の中学生殺害事件などは典型例だったが、ここのところ犯罪捜査での防犯カメラの〝効能〟が盛んに喧伝(けんでん)され、テレビを筆頭とするメディアがその扇動役を務めてしまっている。

もちろん、あらゆる場所にカメラを設置すれば、あるのかどうか怪しい犯罪抑止効果はともかく、発生後の犯罪捜査に有効なのは間違いない。

とはいえ、こんな調査結果を耳にすると全身から力が抜ける。警察庁が2009年から翌年にかけてJR川崎駅（神奈川県）に防犯カメラを設置し、前後に住民アンケートを実施したところ、「プライバシーよりも安心・安全を優先する」との回答が9割を超えた――。治安と自由とプライバシーの相克、つまりは治安を理由とした自由やプライバシーの制限に違和感を抱く向きなど、今や圧倒的少数派なのだろうか。

ならば、こんなことも考えてしまう。この国では警察が「体感治安」なる造語を振りかざし、治安は年々悪化しているような印象も広がっているが、殺人事件の発生件数は増えておらず、ここ数年は微減、あるいは横ばい傾向が続き、おおむね年間1000件前後で推移している。そして、発生する殺人事件の半数は、実を言うと家族内で発生しているのである。

とするなら、すべての家庭に防犯カメラを設置したらいい。防犯カメラに犯罪抑止効果があるなら、半数もの殺人事件が防止できるし、発生してしまっても速やかかつ確実な〝解決〟が可能。そう言うと大抵の人は「いやぁ、それはいくらなんでも……」と顔を曇らせる。「プライバシーよりも安心・安全を優先する」というのなら、最も効果的なカメラ設置案にはなぜ懐疑的なのか、私などは不思議で仕方ない。

冗談はともかく（決して冗談ではないのだが）、現実的には今後も防犯カメラの増殖に歯止めはかからないだろう。むしろ技術の発展に伴って映像の細密化、解析能力の向上はますます進み、警察はこれをネットワーク化しようと企てる。実際、警視庁は数年前から民間の防犯カメラを活用し、警視庁の顔画像データベースと自動照合するシステムの試験運用を始めているらしい（東京新聞2012年8月14日付朝刊）。

とすれば、一刻も急がれるのはカメラ画像使用のルールづくりだろう。たとえば「防犯カメラ使用基本法」などを策定し、捜査当局や悪意の第三者による乱用に厳密な歯止めをかける。犯罪捜査に利用するなら裁判所の令状取得を義務付け、目的外使用には罰則を科す。撮影画像の閲覧者は極限し、一定期間を過ぎたら消去する。考えるべきことはいくらでもある。

これを放置し、カメラ性能の進化とネットワーク化を漫然と黙認すれば、警察が近い将来、〝神の目〟を持つことになりかねない。それでも「安心・安全の方が優先だ」――というような奴隷的な心性を、この国では相当数の人が持ち合わせていそうで気持ち悪いのだが。

2015年12月13日　権威と服従

「体罰と学習効果の測定」を名目とし、隣室の「生徒」が解答を間違えるたび、被験者は「罰」として電気ショックを与えるよう命じられる。実際には通電していないのだが、「管理者」の指示に従い、電流の目盛りはどんどんと上がっていく。そして、命の危険が生じるほどの電気ショックを与えよと命じられた被験者は、いったいどのような態度を示すか――。

米国の心理学者スタンレー・ミルグラムが1960年代に行った、いわゆるミルグラム実験である。結果は、実に62・5％の被験者が最強の電気ショックのスイッチを押してしまう。決して悪人などではなくとも、権威者の命令に従う人間が途方もなく残虐になり得ることを示した実験としてよく知られている。

このミルグラム実験に類似した追試を最近、フランスのテレビ制作者と哲学者らが行っている。その経過をまとめた『死のテレビ実験　人はそこまで服従するのか』（2011年、河出書房新社）によれば、実験は次のような環境で行われた。

舞台は架空のクイズ番組。解答者に扮（ふん）した役者が答えを間違えたら、出題者となった被験者は電気ショックのレバーを押さなくてはならない。命令するのは有名人が務める番組の司会者。サクラの観客は、それを盛んにはやし立てる。

誤答を重ねるうち、電気ショックの強さは増す。解答者は次第に悲痛な声を発し、ついには「もうやめたい！」と絶叫し、反応すら示さなくなってしまうのだが、なんと81％もの被験者が最高の４５０ボルト——実際に通電していたら死の危険があるレベルまでレバーを押したという。

華やかなテレビ番組の収録という空間。強く命令を発する司会者。周辺ではやし立てる観客。そんな特異な環境の中、「ごく普通の人びと」が残虐行為に手を染めたことを、同書はこう分析している。

「被験者は〈権威〉に服従していただけで、決して残酷だったのではない。これは、大変重要な問題である。なぜなら、これは私たち自身の問題でもあるからだ。たとえば、『ナチスはたまたま残虐な人々が集まった恐ろしい集団で、あれは非常に特殊な例にすぎない』と決めつけてしまったら、そこで思考が止まってしまう（略）。そもそも『そんな残酷なことを自分は絶対にしない』と思い込む態度こそ、〈権威〉に最もつけ込まれやすいのではないだろうか」

これを読み、『１★９★３★７（イクミナ）』（角川文庫）を思い出した。著者の辺見庸さんは、中国での旧日本軍の蛮行を記しつつ、こう自問していた。

「おまえは上官の命令にひとりそむくことができたか、多数者がやっていた婦女子の強姦やあちらこちらでの略奪を、おい、おまえ、じぶんならばぜったいにやらなかったと言いきれるか」

いや、まったく言いきれない。だから思う。〈権威〉が憎悪や争いごとを勇ましげに煽るような風潮には徹底した疑念の眼を向けた方がいい。断じて他人事ではない。

2015年12月20日　異常と正常の転倒

つくづく異様な時代になってきたものである。特定のジャーナリストを名指しして「放送法違反だ」と攻撃する意見広告が複数の全国紙に、それも一面すべてを使って大々的に掲載され、一部ネットメディアの報道によれば、彼は出演中のニュース番組からの降板まで噂(うわさ)されているらしい。ご存知の方も多かろう、攻撃対象とされているのはTBS「NEWS23」の岸井成格(しげただ)さんである。

どうやら岸井さんは最近、政権応援団の勢力からは、政権に批判的なジャーナリストの筆頭格と目され、怨嗟(えんさ)の的になっているらしい。怪奇。私も同じ新聞業界出身の後輩だが、岸井さんは自民党を中心とした政治取材の王道を歩き、毎日新聞の主筆まで務めた。社会部畑の野卑な取材に没頭し、しかも組織を途中でスピンアウトした私などが見るところ、その政治的スタンスは保守中道というか、せいぜいが中道リベラルにマッピングされる存在だった。

その岸井さんを名指し批判する意見広告の「呼びかけ人」を眺めると、少し前までは「保守派」というより相当偏頗な主張を繰り広げるキワモノというか、あえてラベリングすれば「極右」に分類されてきたような名が幾人も並ぶ。

それが現政権と波長が合うのだろう。時代が右ブレすると、軸がどんどん右にずれて融解し、ついには岸井さんのようなジャーナリストまでが指弾の対象にされてしまうということか。メディアの過半が政権の応援団と化し、ジャーナリズムの原則すら崩れ落ちつつあることの証左といえば、これはあまりに自虐的にすぎるか。

意見広告によれば、岸井さんが「NEWS23」で安保法制について「メディアとしても廃案に向けて声をずっと上げ続けるべきだ」と語ったことが「政治的に公平であること」と定めた放送法4条に違反している、ということらしい。笑止。放送法が言う「政治的に公平」とか「不偏不党」といった定めは、放送局側ではなく、電波を管理する政治権力側の介入で放送が捻じ曲げられるのを防ぐために存在するというのが、これまでごく一般的な解釈として通用してきた。加えてメディアの役割が権力の監視にあることを考えれば、大半の憲法学者が違憲と断じた安保法制を廃案にすべきだと訴える言説は、至極当たり前の意見を披歴しただけのこと。

もっと言うなら、ニュース番組ばかりかバラエティー番組にまで首相を出演させてその主張を垂れ流す行為こそ、「政治的公平」や「不偏不党」を定めた放送法に違背しているのではないか。そうした民放番組のひとつで、当該局の「解説委員」を務める人物が安保法制について「廃案にされたら困ります」と言い放ったのは、なぜ「放送法違反」だと指弾されないのか。

真っ当な言説が異常扱いされ、異常な発言が問題にもされない。これはかなり危険な兆候であり、時代は相当深刻な分岐点に立っている。

2015年12月27日　野坂昭如さん

人は、さまざまな人の影響を受けて育つ。煎じつめれば、誰もがその集積体であり、私だってこれまで多くの人の影響を受けてきた。のちにそれを後悔してしまうような人もいたが、若い頃から変わらず影響を受け続けた人もいる。野坂昭如さんはその一人だった。親しく謦咳に接したわけではない。新宿ゴールデン街の酒場で一度か二度、尊顔を拝した程度。数年前に徳洲会のドン・徳田虎雄の評伝を書いた時、絶好のチャンスだと思って取材を申し入れたが、すでに療養生活に入っていて叶わなかった。

そんな私に書く資格があるのか怪しいけれど、野坂作品は大半を読み漁ってきた。最初はたしか高校生のころ。『エロ事師たち』『火垂るの墓』『骨餓身峠死人葛』『一九四五・夏・

神戸』等々を夢中になって読み、以後も新聞だろうが雑誌だろうが「野坂昭如」の文字を見つけると欠かさず目を通した。

作家、作詞家、政治家、歌手、タレント、テレビにCM、その雑食的な営みを振り返り、複数の新聞の評伝には〈多彩な活動〉という見出しが躍った。テレビもマルチぶりを賛美して追悼した。でもなんだかピンとこない。

むしろ私は、特定の主義に拠らず、権威や権力に敢然とつっかかるサングラス姿に惹かれた。カッコよかった。猥褻概念を勝手に規定する国家、絶頂期の闇将軍・田中角栄、戦前回帰の気配を強める政治、あらゆる権威や権力や主義におもねらず、時には偽悪的に、時にはゲリラ的に砂をぶっかけるが、決してニヒリズムに陥らず、反骨反戦の軸は一貫してブレなかった。

晩年、おそらくは口述によるものだと思うのだが、毎日新聞で続いた連載「七転び八起き」にも野坂節があふれていた。

野坂さんからすれば子ども世代の当方、さすがに原稿はパソコンで書くが、デジタル時代になんだかついていけず、気になった新聞記事は切り抜いてとっておく習慣がいまもある。仕事場に積まれているその山をひっくり返すと、2014年12月9日付朝刊の「七転び八起き」が真っ先に見つかった。こんなことが綴られている。

〈73年前の12月8日、世間のほとんどが熱狂していた。日本軍が真珠湾を奇襲攻撃、これによる米軍の打撃は大きかった〉〈この時、地獄への一里塚と認めていた人はいたとしても、ごく少ない。懸念を発表する手立てもない〉〈言うべきことを言える今の世の中は有り難い。だが言うべき時に言い続けていなければ、そのうちまた食い止められなくなる〉〈ぼくは若い人にこそ戦争を知ってほしい。当時の最高指導者達は、戦争というものを知らなかった〉〈戦争を知らず、人間を知らなかった。当時の最高指導者達と、今の連中、その仕組み、体質、ほぼ変わりはない〉

野坂さんが逝ったのは12月9日だから、ちょうど1年前の同じ日、紙面に遺した文章ということになる。言うべき時に言い続けなければ食い止められなくなる——その遺文に、いまも私は影響を受けている。これからも、受け続けると思う。

2016年2月28日　無知と無謙抑

放送法が定める「公平原則」からの逸脱を繰り返した場合、テレビ局に電波停止を命ずることだってできる——そんな総務相の国会発言には、現政権の歪みが集約されていると私は思う。ポイントは大きく二つ。

まず、各種法規などへの根本的な無理解、ようは無知。それが天然由来のものなのか、確信犯的なものなのかはともかく、昨今の流行言葉でいえば反知性的ということになるだろうか。

確かに放送法は4条でこう定めている。

〈放送事業者は、国内放送及び内外放送の放送番組の編集に当たつては、次の各号の定めるところによらなければならない。

1（略）。2 政治的に公平であること。3（略）。4 意見が対立している問題については、できるだけ多くの角度から論点を明らかにすること〉

しかしこの規定は、言論・表現の自由を保障した憲法21条を侵しかねないから、あくまでも放送事業者の倫理規範を定めたものと受けとめるのが妥当であり、それが通説とされてきた。加えて同法は1条で、その目的をこううたいあげている。

〈放送の不偏不党、真実及び自律を保障することによつて、放送による表現の自由を確保すること〉

つまり放送法は、むしろ政権や権力者による放送メディアへの不当な干渉を抑止することに本旨がある。ならば総務相の発言こそ放送法違反であり、「政府が右というものを左とはいえない」などと放言した公共放送のトップは完全なる放送法違反。こうした通説、常識、法学者らの見識を踏まえず、あるいは意図的に無視して恥じない態度は、立憲主義を「聞いたことがない」と言い放つ首相補佐官が党の改憲草案作成を主導した愚かさにも通じている。

もう一つは、権力行使に対する謙抑感の決定的な欠如。

自民党が大半を占めた歴代政権だって、かなりのデタラメを繰り返してきた。しかし、権力を行使するにあたってはそれなりの謙抑感を持ってきた面もあった。権力の行使に一定の「おそれ」があった。

だが現政権は違う。戦後の政権が営々と積み上げてきた憲法解釈を踏みにじり、集団的自衛権の行使容認に舵を切る。武器輸出三原則を放り捨てる。日銀総裁や内閣法制局長官の首をすげ替える。公共放送の経営委員などに質の悪いお友達を幾人も送り込み、しかもそのトップが問題発言を連発する。いずれも従来は掟破りとされたこと、仮にできるとしてもやってはならないと自制してきたことばかり。

そして今回の総務相発言は、そもそも基本的な法認識が怪しい上、できることは何でもやるのだと公言し、それが及ぼす悪影響等々をまったく意に介さない点で、現政権の病的な体質を顕現している。

すなわち無知に加えた無謙抑。まるで無免許で暴走するヤンキー車。大事故を起こすのは必定だが、同じ車に私たちも乗せられているのだから笑うに笑えない。

2016年3月6日　杭に囲まれた自由

最近抱えている取材テーマの必要に迫られ、かつて日本を窒息状態に追い込んだ「国家神道」にかんする書籍を乱読している。そのうち上智大教授・島薗(しまぞの)進の『国家神道と日本人』（岩波新書）は学ぶところの多い良書だった。

天皇を「神聖ニシテ侵スヘカラス」と規定した大日本帝国憲法下、天皇制ファシズムはどう形成され、制限つきながら認められていた言論の自由はどう死滅していったのか。時代がきな臭さを増す中で起きた大逆事件や滝川事件、天皇機関説事件などは知っていたが、私の不勉強なのだろう、それ以前に起きた小規模な事件について知らなかったことを同書に教えられた。

たとえば1891年に起きた内村鑑三不敬事件。札幌農学校で学んだ内村は、渡米からの帰国後、第一高等中学校の嘱託教員になった。それから間もなく一高では天皇署名のある教育勅語の奉読式が行われ、教員と生徒が勅語の前で礼拝することになったのだが、クリスチャンだった内村はとっさに深々と礼ができず、軽く頭を下げる程度で退いた。これを他の教員や生徒が激しく非難し、マスコミなども同調したことから、内村は職を追われることになった。

これを機にキリスト教は日本の「国体」に反するか否かの議論が巻き起こり、多数のクリスチャンらが論陣を張ったものの、多くは「国家神道を受け入れる立場」から「必ずしもキリスト教が天皇崇敬や日本独自の国体に基づく教育という理念を脅かすものではない」という論調にとどまった。

結果、何が起きたか。島薗はこう書く。

〈この論戦を通じて、神聖な天皇への崇敬とそれを体現する教育勅語の聖典的な意義が確立し、教育の場での信教の自由や思想・良心の自由には、重い枠がはめられることになった〉

歴史家・久米邦武の筆禍事件も翌1892年に起きた。帝大教授だった久米は発表論文で「国体の美風」を称揚しつつ、「国家神道の特別な神聖さの根幹」とされているものを「どこにでもあるもの」とみなした。これに神道系の団体が猛抗議し、内務省や文部省にも強硬措置をとるよう要求、久米は事実上の罷免処分とされてしまう。

これについても島薗はこう書く。

〈この事件によって、記紀の天孫降臨や三種の神器の由来などを事実ではないとする立場から、日本古代史や記紀神話を論ずることが難しくなった〉

当たり前の話だが、言論の自由はある日突然死滅するわけではない。何らかの事件が起きた際、本質的な議論や抵抗を試みつづけないと周囲に幾本もの杭が立ち、その外にはみ出ることが難しくなっていく。そんなことが繰り返されるうち、言論の幅はどんどん狭まり、自由な言論は一歩一歩死滅への道を進んでいく。

ひるがえって現在。私たちの周囲にはすでに数え切れないほどの杭が立ち、それはますます増えていないか。なのに私たちは本質的な議論や抵抗から逃げていないか。否、と力強く言える者はおそらくいない。

2016年3月13日　エーコとタブッキ

ウンベルト・エーコが逝った。記号論の研究者であり、哲学者、思想家であり、批評家でもあり、作家としては世界的ベストセラー『薔薇の名前』で知られた現代イタリアを代表する碩学だから、日本の新聞各紙にも訃報が並んだ。

だが、それを読んでもピンとこなかった。いや、なんだか物足りなかった。

訃報の大半は、エーコの活動の多彩さと、やはり『薔薇の名前』に代表される小説作品にフォーカスを当ててつづられていた。たとえば毎日新聞はこう書いている。

〈作家のウンベルト・エーコさんが19日、死去した。84歳。現地メディアが伝えた。がんで療養中だった。伊北部アレッサンドリア生まれ。トリノ大学で美学、哲学を専攻。記号論の第一人者で、ボローニャ大教授時代の1980年、初めての小説「薔薇の名前」を発表。中世の修道院を舞台に起きる連続殺人事件を描いた歴史ミステリーは、日本を含め世界的なベストセラーになった……〉

（2月20日付夕刊）

これはこれで何も間違っていない。正直に記せば、エーコの難解かつ膨大な著作のすべてに目をとおしたわけではないから、私の見方のほうが異端なのかもしれない。しかし私にとってエーコは、ジャーナリスティックなものの見方を教えてくれた偉大な先達という印象が強い。

その一冊が、いま手元にある。『永遠のファシズム』（和田忠彦訳、岩波書店）。同書の中でエーコは、全体主義や排外主義、人種差別などについて要約、こう語っている。

〈自分と違うひと、見知らぬひとへの不寛容は、欲しいものをなんでも手に入れたいという本能と同様、子どもにとっては自然なことだ。（略）だれしも成長につれ自分のからだはコントロールできるようになるが、不幸なことに、寛容は、おとなになってからも永遠に教育の問題でありつづける〉

〈どんな理論も、日々占領地域を拡大していく匍匐前進の不寛容のまえでは無効でしかない〉

〈知識人たちには野蛮な不寛容を倒せない。思考なき純粋な獣性をまえにしたとき、思考は無力だ〉〈だから、継続的な教育を通じて、野蛮な不寛容は、徹底的に打ちのめしておくべきなのだ〉

　まさにいま世界中で起きていることへの予見的な警告である。それはヘイトスピーチや隣国への悪罵的な言説が飛び交い、かつ政治が復古的で自慰的な教育に舵を切ろうと躍起になっている現代日本も例外ではない。

　そういえば、エーコと並んでノーベル文学賞候補に数えられた作家アントニオ・タブッキも2012年に逝ってしまった。タブッキは全体主義への警鐘を鳴らし、「文学者の使命はファシズムの風潮にいち早く警鐘を鳴らすこと」と語っていた。この「文学者」という部分は「メディア人」と置き換えても、「ジャーナリスト」と置き換えても通用する。相次いで鬼籍に入った2人のイタリア碩学から学ぶべきことは多い。

2016年3月20日　抗議会見の現場

この2月29日、東京・内幸町の日本記者クラブで、記者会見に臨んだ。高市早苗総務相が放送法4条を根拠とし、テレビ局に「電波停止」を命ずる可能性にまで言及したことへの抗議会見だった。

呼びかけ人になったのは田原総一朗さん、鳥越俊太郎さん、岸井成格（しげただ）さん、田勢康弘さん、大谷昭宏さん、金平茂紀さん、そして私も末席に加わった。ここでは年齢順に3人の発言のみを要約して記しておきたい。

まずは田原さん。

「恥ずべき発言であり、本来は全テレビ局の報道局長が団結して抗議すべき話だ。なのに抗議せず、放送もしないから、政府が図に乗っている。断固はね返すべきだ」

次に鳥越さん。

「ここまで露骨にメディアを牽制（けんせい）する政権はかつてない。高市発言は恫喝であり、背後には安倍政権の姿勢がある。これは政治権力とメディアの戦いだ」

そして岸井さん。

「メディアにおける『政治的公平』は、一般の『公平公正』とは違う。権力は強くなればなるほど必ず腐敗し、時に暴走する。これをチェックするのがジャーナリズムの果たすべき『公平公正』であり、それを忘れたらジャーナリズムじゃない」

以上の3人は70歳を超え、私の父親といってもいい世代である。だから私自身、メディアの仕事にかかわる以前から、その発言や文章に接してきた。こんなことを書けば失礼だが、決して敬意や賛意ばかりではなく、むしろ反発や反感を覚えたことも数知れない。ただ、会見での発言には一点の異論もなかった。大ベテランのメディア人が、青臭ささえ感じさせるまっとうな主張を真っすぐ吐く姿に敬意を覚えた。と同時に、本来はメディアにかかわる者が共通して抱いておくべき初歩的な原理原則を、ごく基本的なスピリッツを、大ベテランのメディア人があらためて訴えなくてはならない現状に薄ら寒さも覚えた。

この会見を準備する中、一部の同業者からは「メディア人は言論で対抗すべきであり、徒党を組んで会見など開くのはいかがなものか」という指摘もあった。その気持ちは分からなくもなかった。

私だって組織をスピンアウトしたような人間だから、徒党を組むのは好きではないし、柄でもない。メディア人は言論で対抗せよというのも同感である。いくら会見で原理原則を吐いたって、それはあくまでイレギュラーな形にすぎず、最後は個々のメディア人が個々の現場で必死に抗うしかない。わかっている。だから私もこうして原稿を書く。

ただ、メディアとジャーナリズムの原則が眼前で根腐れしかけている時、ましてそれが公権力によって為されようとする時、組織や個の壁を超えて連携し、絶対譲れない一線があるのだと声を荒らげておく必要だってあると思う。でなければ「政治権力との戦い」などに耐えられない。

2016年5月1日　みじめな気分

国連の人権理事会が任命し、日本における「表現の自由」の現状を調査する特別報告者のデビッド・ケイ氏（米カリフォルニア大アーバイン校教授）が来日した。本来は2015年末に来日予定だったが、日本政府が「秋への延期」を求め、参院選前に政権のメディア対応を批判されたくなかったのでは、とも囁(ささや)かれた調査である。

一方のケイ氏は早期の訪問実現を求め、4月12日から調査に入った。政府やメディア、ジャーナリスト、NGO関係者らから聞き取りをする予定というのだが、知人を通じて私も請われ、ケイ氏の聞き取り調査に応じることになった。

できるだけ正確に実情を把握してほしいと思ったから、私の主観や臆測の類いはできるだけ排し、事実のみを淡々と説明した。特定秘密保護法の弊害、メディアやジャーナリズムの現状、そしてメディアに対する政府や与党の振る舞いの問題点。

たとえば、NHKのトップや経営委員に首相や閣僚の〝お友だち〟が幾人も送り込まれたこと。首相が個別のテレビ番組に出演し、政権の政策に批判的な声ばかり紹介されると

「おかしいじゃないか」といきり立ったこと。首相に近い与党議員が勉強会と称する会合を開き、「沖縄の新聞を潰せ」と言い放つ作家に呼応して「マスコミをこらしめろ」「広告収入がなくなるのが一番だ」などと次々暴言を吐いたこと。

挙げはじめればキリがなかった。しかし、根気強く説明を続けた。

衆院選前、与党がテレビ局に対し、放送の具体的内容にまで踏み込んで「公平中立」を求める文書を突きつけたこと。放送内容に問題があったことを口実とし、与党がテレビ局幹部を呼びつけたこと。電波を所管する総務相が、放送法を根拠としてテレビ局の電波停止を命ずる可能性に言及したこと……。

正直に言えば、説明しているうち、だんだんとみじめな気分になった。このような政権・与党を戴いていることもみじめだが、国連人権理事会が派遣した特別報告者に、自らの窮状を訴えているかのような自分がみじめだった。

本来なら、政権がどんな振る舞いをしようとも、政権の追従者が喚(わめ)き立てようとも、そんなものは相手にせず蹴とばしていればいいだけの話なのである。なのに、メディアの現場には実際に萎縮のムードが漂っている。

そういえば、パリに本部を置く非営利のジャーナリスト組織「国境なき記者団」が毎年発表する「報道の自由度ランキング」で日本は2010年、過去最高の11位に順位を上げていたが、現政権になるとそれが急速に悪化し、昨年は過去最低の61位にまで順位を下げた。

これは現政権への警告であると同時に、私たちに突きつけられた通信簿でもある。報道の自由は与えられるものではなく、メディアにかかわる者たちが戦って勝ち取り、歯を食いしばって守りつづけるべきものなのだから。

2016年6月26日　偏っているのはどっちか

沖縄の新聞を読んでいると目を開かされることが多い。驚くようなファクトがしばしば掲載され、本土の新聞がなぜもっと騒がないのか不思議で仕方ない気分にもなる。

沖縄2紙のうち、直近の沖縄タイムスを例にとってみよう。5月26日の朝刊には、1面に大きな記事が載った。

〈海兵隊研修　沖縄を蔑視
世論感情的・二重基準〉

そんな見出しを掲げた記事は、在沖縄の米海兵隊が研修用につくった資料をすっぱ抜いた。英国人ジャーナリストが情報公開請求で入手したものらしく、〈沖縄文化認識トレーニング〉と名づけられた研修資料には、沖縄蔑視の本音が随所にのぞく。

米兵犯罪への沖縄世論は〈論理的というより感情的〉〈責任転嫁〉。沖縄政治の状況については〈「(本土側の)罪の意識」を沖縄は最大限に利用する〉〈沖縄の政治は基地問題を「てこ」として使う〉。

沖縄メディアの報道ぶりもこう見下していた。〈半分ほどの事実と不確かな容疑を語り、負担を強調しようとする〉〈内向きで狭い視野〉〈反軍事のプロパガンダを売り込んでいる〉

沖縄の怒りが高まるのも当然だろう。さすがにこれは全国紙も追随し、在京紙では毎日新聞と東京新聞が5月29日付の朝刊社会面で報道、朝日新聞も6月に入って記事を掲載した。だが、いかにも扱いが小さく、反応も鈍い。

しかも日ごろは「国の誇り」「愛国心」を鼓舞する他の在京紙はこの件を1行も報じない。沖縄が見下されるのは「国の誇り」と無関係なのか。この研修資料については6月8日、米海兵隊が事実関係を認めたものの、これも在京紙は伝えていない。

その6月8日には、米軍基地の環境汚染問題をめぐって興味深い記事が沖縄タイムスに載った。2010年以降、米軍基地から燃料や汚染物質が河川などに流出した事故について、米軍側が「日本政府に通報の要あり」と決した件数と日本政府側が「把握している」と答えた件数が10件も食い違っているというのである。

どちらかがウソをついているか、連絡体制の不備のためか、いずれにしても日米地位協定に深くかかわる問題であり、もっともっと騒がれていい。

ドイツでは地位協定の付属文書に環境条項がある。首都ソウルなどに米軍基地がある韓国でも、基地の環境汚染問題の続発を受けて地位協定に環境条項を盛り込むよう求める声が強まり、2000年代に入ってから協定の付属文書に環境条項が新設された。

しかし、大半の米軍基地を沖縄に押しつけている日本では所詮、他人事ということか。議論はほとんど盛りあがらない。

一部には、沖縄の新聞が「偏向」しているという声があるらしい。だが、沖縄の新聞を見ていると、偏向しているのは本土の新聞ではないかと叫びたくなる。

2016年7月3日　社会の窒息

特定秘密保護法が制定され、盗聴法（通信傍受法）が大幅強化された。権限が拡大する一方の警察官僚は高笑いが止まらないだろう。だが、おそらくこれでは終わらない。次にやってくるのはなにか。

まずは共謀罪の導入。なんらかの犯罪行為に着手すらしていなくても、犯罪を「謀議」しただけで罪に問われる共謀罪は、戦前の治安維持法にも似た劇薬法である。

法務省はこれまでも共謀罪新設を含む組織犯罪処罰法案を国会に提出している。目くばせをしただけで共謀罪が成立する、などと法務省幹部が国会で公言したこともある。いずれも廃案になったが、あきらめてはいない。近い将来、必ずや政治スケジュールに載せてくる。

そして盗聴法の再強化。具体的には「室内盗聴」の合法化である。

これまでの盗聴法は、電話やメールといった通信が対象だった。これはこれで大問題なのだが、室内の会話内容を盗み聴く権限も警察は欲しがっている。共謀罪が導入されれば、その〝必要性〟はさらに高まる。

もうひとつ、情報機関の創設論もあり得る。戦後、専門の情報機関を持たなかった日本は、公安警察がその役割の相当部分を担ってきたが、永田町などでは「情報機関必要論」がくすぶってきた。

これに関して最近出版された吉野準著『情報機関を作る――国際テロから日本を守れ』（文春新書）を読んだ。著者は元警察官僚。警視総監まで上り詰めている。

同書の中で著者は、特定秘密保護法の秘密指定をめぐって「第三者のチェックが必要」という意見にこう断言している。

〈意味のないことである。専門知識のない人に、秘密指定の妥当性は判断できない。また秘密を知る人を増やすことは、それだけ漏洩の危険性が増すことにつながり、秘密保護の趣旨を削ぐ〉

まさに由らしむべし、知らしむべからず。愚かなる民は、官の言うがままに従え。そんな発想を持つ者が「情報機関を作る」と真正面から訴える恐怖。

同じ「官」でも、少し前は違った。警察官僚として警察庁長官に上り詰め、政界に転じて以後は〝カミソリ〟と評された故・後藤田正晴氏は生前、情報機関を「長い耳」になぞらえ、その「必要性」を唱えつつ、こんな「迷い」も吐露している。

〈僕は日本という国を運営するうえで必要な各国の総合的な情報をとる『長い耳』が必要だと思う。ただ、これはうっかりすると、両刃(もろは)の剣になる。いまの政府、政治でコントロールできるかとなると、そこは僕も迷うんだ〉

（朝日新聞2004年9月21日付朝刊インタビュー）

権力を握る者の謙抑感の有無、突き詰めればそういうことだが、この差はとてつもなく大きい。謙抑感なき治安組織に武器ばかり与え、「コントロール」の方途すら整えねば、武器はいつか私たちに襲いかかり、社会を窒息に追い込みかねない。

第4章

共謀罪と公安警察と前川スキャンダル

1

加計(かけ)学園の獣医学部新設問題をめぐり、一躍その名を知られるようになったのが、文部科学省の官僚としてトップの事務次官まで務めた前川喜平だった。本章ではその前川に加えられた攻撃の意味と深層を考察していくが、本題へと入る前に、まずは加計学園問題にかんする経緯を、前川に焦点を当てつつ簡単に振り返っておきたい。

首相の「腹心の友」によって率いられる加計学園が愛媛県今治市で開設を目指した獣医学部。およそ半世紀近くにもわたって認められてこなかったその新設が、政権主導の国家戦略特区での認可という形で実現した背景に何があったのか。疑問に対する大きな答えとして、〈総理のご意向〉〈官邸の最高レベルが言っている〉などと記された文科省の内部文書を朝日新聞などが特報したのは、2017年5月17日のことであった。

直後の会見で官房長官はこれらの文書を「怪文書」扱いして強引に幕引きを図り、続いて文科省も「文書の存在は確認できない」とする調査結果をまとめた。だが、メディアには文科省の官僚や関係者とみられる反論が続々と掲載されはじめた。「文書は本物だ」「一部の幹部が共有していたものに間違いない」「担当の専門教育課がつくったものだ」「文書の内容もほぼ真実」……。

その決定打となったのが、当の文科省で２０１７年1月まで事務次官を務めていた前川の実名告発だった。複数のメディアの取材に応じた前川の証言が、5月25日付の朝日新聞朝刊と同日発売の週刊文春に報じられたのである。「あるものをないことにはできない」「文書は担当の専門教育課から説明を受けた際に示された」「行政が歪められた」……。

前川の告発は強烈であり、これを境に加計学園問題は一挙に政治問題化した。

そのわずか4日後の5月29日。私がレギュラー出演しているＴＢＳラジオの生番組『荒川強啓　デイ・キャッチ！』に前川が出演した。渦中の前川が生放送の番組に出演して証言するのはこれが初めてのことだった。やや手前味噌になるが、旧知の文科省関係者を通じて前川に出演を打診したところ、「青木の出ている番組ならば応じても構わない」という返答があり、若干の調整を経て実現したものだった。

このころの前川は身の安全などを考慮してホテルに身を隠し、まだ大半のメディアが個別接触すらできていない状態だった。だから番組を放送するスタジオの周囲にも、東京・赤坂にあるＴＢＳ局舎の玄関前にも、前川への接触を試みるさまざまなメディアの記者や関係者が押し寄せ、番組は一種異様な雰囲気の中でオンエアされた。

本題はもちろん、加計学園をめぐる数々の疑惑だった。文書はどのような性質のものなのか、政権と文科省の間でいったい何があったのか、「総理のご意向」によって行政は具体的にどう歪められたのか――。

ラジオのスタジオブースで初めて対座した前川は、一見していかにも官僚らしい風貌だったが、同時に強い誠実さを漂わせた男でもあった。私たちの質問にも、落ち着いた口調で応じた。

「内閣府のしかるべき立場の人が『総理のご意向』『官邸の最高レベルが言っている』というようなことを言ったのは100％真実です」「規制を見直すこと自体が悪いわけではありませんが、見直すためにはきちんとした根拠が必要でしょう」「加計学園は条件を満たしていませんでした。なのに特例を認めるという結論を押しつけられた」……。

こうした前川の話に耳を傾けながら私は、しかし、少し違う点にも深い関心を寄せていた。前川が実名告発に踏み切る直前、読売新聞が突如報じた前川のスキャンダル情報について、である。

2

問題の読売記事の中身を詳述する必要はもはやないだろう。〈前川前次官　出会い系バー通い〉という見出しの記事は、前川の告発直前にあたる5月22日付の朝刊社会面に大きく掲載され、さまざまな憶測と波紋を呼び起こした。記事のリード部分のみ引用しておく。

〈文部科学省による再就職あっせん問題で引責辞任した同省の前川喜平・前次官

（62）が在職中、売春や援助交際の交渉の場になっている東京都新宿区歌舞伎町の出会い系バーに、頻繁に出入りしていたことが関係者への取材でわかった。教育行政のトップとして不適切な行動に対し、批判が上がりそうだ……〉

当時、この記事を読んだ瞬間、決して大げさではなく、私は総毛立った。いかにも特ダネ風に仕立てられてはいるが、長く新聞業界にかかわってきた私から見ても、まったくありえないような記事だったからである。

いくら記事を読んでも明確な違法行為などを示す根拠はなく、公権力や地位を不正に行使した痕跡もない。いかに前事務次官とはいえ、違法行為とも公権力の不正行使などとも無関係なプライバシー情報を大々的に報じるのは、週刊誌などならともかく、一般紙ではありえない。これはどちらが良いか悪いかという話ではなく、メディアとしての特性や方向性の問題であり、少なくとも私が記憶する限り、これまで一般紙にこのような記事が掲載されたことはない。仮に私が通信社の記者時代、同じ記事を書いてデスクに出せば、こんなものを出稿できるわけがないと一蹴されてしまうのがオチだったろう。

ならば、当然のこととして別の疑問が湧く。いったいなぜ、読売はこんな記事を大々的に掲載したのか。

報道後に会見した前川によれば、事務次官在職中に官邸に呼ばれ、この店への出入りについて警告を受けたことがあったというから、読売報道が官邸のリークに沿ったものだったのではないかとも疑われる。狙いはあらためて記すまでもない。前川の人間性を貶め、このような人物の証言は信用に値しない、というネガティブメッセージを広範に発信すること――。

これ自体、政権とメディアのありように重大な問題を投げかける。もし読売報道が官邸のリークなどによるものだったとすれば、政権の手先となって政権の疑惑隠しに加担したことになり、それはメディアとしての「死」を意味する。私自身、この問題をめぐって複数の新聞の論説幹部と雑誌で鼎談した際、「底が抜けた」と評した。メディアとして守るべき原則と矜持の「底が抜けた」と。

しかし、さらに背後へと視座を伸ばすと、この国の水面下で蠢く危険な兆候の片鱗が浮かびあがってくるとも私は感じている。だからTBSラジオの番組中も、番組終了後の懇談の場でも、このことを前川に詳しく訊いた。

――出会い系と称されるバーへの出入りについて、最初に官邸から警告されたのはいつですか。

「記憶では（事務次官在職中の）2016年の秋ごろです。突然官邸に呼び出されましてね。いったい何事かと思いながらうかがいました」

――具体的には誰から警告されたんですか。

「官房副長官の杉田（和博）さんでした。『君、気をつけたまえ』と」

――それを何らかの恫喝や威嚇だと感じましたか。

「いえ、恫喝とは思いませんでした。恫喝とか威嚇とか、そう見れば見えると思いますが、私は鈍感な方で、そういうふうには受け取りませんでした」

――しかし、驚いたでしょう。

「ええ。誰にも言っていない勤務時間外の、まったくプライベートな行動ですから、どうしてご存知なのか不思議で、本当に驚きました。いったいどうしてそんなことを知っているんだろう、と……」

そう、いったい官邸はなぜ、このような情報を把握できたのか。

3

2016年の秋ごろ、前川を官邸に呼びつけて「警告」を発した杉田和博は2012年の12月、第2次安倍政権の発足とともに官房副長官に就いた。首相や官房長官を補佐する官房副長官職は現在、計3人置かれているが、うち2人は政務担当として政治家が任用され、官僚出身の杉田は事務担当として霞が関全体を睥睨(へいげい)する官僚トップの座に君臨している。

その杉田の出身省庁は警察庁である。霞が関内でも警察官僚の存在感と権力は大きく、キャリア官僚志望者らにも警察庁の人気は高いが、警察という役所がやや特殊なためだろう、官僚トップの官房副長官に警察出身者が就いた例は決して多くない。

古くは1970年代、田中角栄内閣で後藤田正晴（警察庁長官、官房長官、自民党副総裁などを歴任）が、続いて川島廣守（警察庁警備局長、プロ野球コミッショナーなどを歴任）が事務担当の官房副長官を務めたものの、以後は30年以上にわたる空白期が続き、2008年になって警察庁長官経験者の漆間巌（うるまいわお）が麻生太郎内閣の官房副長官に起用された。その漆間にしても、単に軽率だったのか、もともとそれほどの能力がなかったのか、在任中は不用意な失言で政権を揺るがす問題を起こしてもいる。

それはともかく、警察出身者としては決して多くない官房副長官の座に就いた杉田の経歴を眺めれば、1966年に警察庁入りした後、警視庁警備部の警備1課長、警察庁警備局の外事1課長、公安1課長、警備局長、そして内閣情報調査室長や内閣危機管理監などを歴任している。つまり、警察トップの警察庁長官などには就けなかったものの、警察組織内の警備・公安部門——いわゆる日本の公安警察部門の中枢を一貫して歩んできたことになる。

ならばある推測が頭に浮かぶ。勤務時間外だろうと秘めやかなプライベート行動だろうと、中央省庁の事務次官にまでなった人物のそれを、公安警察ならばすべて容易に把握できるだろう、と。いや、そのような情報を把握できるのは、この国の〝情報機関〟の中では公安警察をおいてほかにはない。

そして思い出す。かつて通信社の社会部で公安担当記者だった私は、警視庁公安部に密着する日々を一時過ごしたが、警察庁警備局の幹部から当時、驚くようなエピソードを聞かされたことを。拙著『日本の公安警察』にも記したが、概略で次のような話だった。

ある枢要な中央省庁で、局長級の人事が内定した。局長といえばどの省庁でも最高幹部級にあたるが、この人事の内容を把握した公安警察はいきり立った。局長内定者の1人が、かねてから公安警察が〝共産党シンパ〟だと睨んでマークしていた人物だったからである。

事態を重視した警察庁警備局は、最大の実働部隊である警視庁公安部の秘密組織を動かし、当該の局長内定者の身辺を徹底的に調べさせた。家族、交友者、立ち寄り先、酒癖、経済状況、そして下半身や異性関係……。尾行や監視といった公安警察お得意の手法が駆使され、あらゆる情報が洗い出された。

結果、当該の局長内定者には妻以外にも交際している女性のいることが判明した。密会現場の写真も密かに撮影された。その情報は写真などとともに当該省庁のトップに伝達され、この局長人事は白紙に戻されることになった——。

以上のような警備局幹部の話を聞きながら私は愕然としていたのだが、幹部はなかば自慢話として打ち明けた様子だった。泥棒や人殺しの1人や2人を捕まえなくても国は滅びないが、共産主義者を野放しにすれば国が滅びかねない——常日ごろそう公言して憚らない公安警察という組織の本質を垣間見るような話でもあった。

つまり、中央省庁の幹部に就くキャリア官僚のプライベート情報を公安警察が調べあげることは珍しくない。おそらく私が聞かされたのはほんの片鱗にすぎず、従来からそんな手法は日常的に駆使されてきたのだろう。ならば前川のケースも同様であり、当初は〝危機管理〟などの名目で警察出身の官僚トップに報告され、最後の最後になって恫喝、あるいは告発潰しのネタとして悪用されたのではなかったか。

4

もうひとつ、公安警察の本質にかかわる別の取材エピソードも紹介しておきたい。ただ、それを理解するには近年における公安警察組織の概況と変遷を知っておく必要がある。

警察の一部門として出帆した戦後日本の公安警察組織は、政治・思想警察と情報機関的な役割の双方を担いつつ、活動の最大眼目を「反共」「防共」――つまり共産主義や左翼勢力の監視と取り締まりに軸足を置き、組織と権限を膨張させつづけてきた。戦後間もない時期には武装闘争路線を掲げた共産党の監視と取り締まりに総力を注ぎ、その後は学生運動華やかなりしころの新左翼セクトによるゲリラや内ゲバ、さらには赤軍派などによるハイジャックや爆弾闘争などに対応し、警察組織内でも最大の勢力を有するようになったのである。警察組織の内部でも公安警察こそがエリートだともてはやされ、警察庁長官や警視総監といった組織のトップは代々、公安部門の出身者によって大半が占められる時代が長くつづく。

ところが1990年代に入ると異変が訪れる。ソ連邦を筆頭とする共産主義国家が次々崩壊し、冷戦体制が終焉を迎えると、公安警察組織もやはり、そのレーゾンデートルが問われる状況に直面したのである。しかも1995年、警視庁をはじめとする全国警察が一斉捜査に取り組んだオウム真理教事件をめぐっては、事前にその危険性をまったく察知できなかったばかりか、公安警察に委ねられた重大事件の捜査がことごとく迷宮入り、あるいは中途半端に終わるという失態を演じ、警察組織内でも公安警察部門への懐疑心が大きく膨らんだ。そして1990年代の後半からは、公安警察部門の人員も徐々に削減を強いられていく。

公安警察といっても、一面では官僚組織である。一度膨れあがった組織と権限と予算はなんとしても手放したくない。とはいえ、共産党や左翼勢力の脅威を訴えて理解を得られる時代でもない。ならば、どこに新たなレーゾンデートルを見出すか。膨大な人員と巨大な組織、蓄えてきた能力とノウハウをもっと〝有効〟に使う道はないか。

2000年代に入って米国で9・11テロが発生し、「テロとの戦い」が世界的に呼号される中、公安警察も間もなく「テロ対策」を新たなレーゾンデートルに掲げていくことになるのだが、それ以前の1990年代末、一計を案じた公安警察組織は、警察庁警備局を中心として従来の「反共」「防共」路線からの脱皮を別の形で模索した。左翼勢力の監視や情報収集ばかりではなく、もっと幅の広い政治情報の収集――これを警察内部では〝幅広情報の収集〟などと称したが、与野党を問わぬ政治情報を広範にかき集め、これを利用することで存在感を誇示しよう、と画策しはじめたのである。

警察庁警備局の筆頭セクションである警備企画課には早速、新たな符牒を冠した組織がつくられた。「I・S（アイ・エス）」。いまになってみれば、どこぞのテロ集団を彷彿させてしまうような符牒ではあるが、「Intelligence Support」の略であるとか、果ては当時の公安幹部の名のイニシャルであるとか諸説語られ、全国の都道府県警の警備・公安部門にもこれに呼応する担当官が配置されはじめた。また、これと同じころから公安警察の出先機関でもある内閣情報調査室（内調）の職員らがメディア記者と積極的に接触しはじめた。

これは当時の内調幹部の属人的な動きだったという指摘もあって、「I・S」との直接的な関連性は実のところ定かではない。ただ、内調職員を囲んで政治記者や雑誌編集者、夕刊紙記者やフリージャーナリストまでが参加するサークルめいた会合には私も何度か顔を出してみた。メディアから情報を集めると同時に、必要に応じてメディア側にも情報提供する——そんな色合いの強い会合に、謀略的な不健全な臭いを感じ、強い懸念も覚えた。

そんな折、実際に「I・S」がらみの活動に携わっている公安警察の当局者から次のような話を聞かされた。これもまた、なかば自慢話のように打ち明けられたものだった。

少し前の内閣で改造人事が行われ、警察組織を所管する国家公安委員長の新任者も内定した。その直後、国家公安委員長に内定した政治家の選挙区がある地元県警の「I・S」担当者に対し、警察庁警備局から指示が飛んだ。当該政治家にまつわる詳細な情報を直ちに調べ、速やかに報告せよ——と。

5

警察庁を事実上の頂点とし、北海道から沖縄まで全国津々浦々に30万人近い人員を配置する警察組織は、この国で最大最強の情報収集能力を持つ。警察が警察であるがゆえに持つ強権なども駆使すれば、特定個人のプライバシー情報など、ありとあらゆるものが丸裸にされてしまうだろう。

では、警察を所管する政治家の情報を吸いあげ、いったい何に使おうと考えたのか。茶菓子や酒食の好みを知り、ご機嫌をとろうと考えたわけではあるまい。場合によってはカネ、選挙、下半身絡みの醜聞情報だって集められる。仮にそれを悪用したなら、警察が政治を牽制し、コントロールすることだって不可能ではない。

あらためて記すまでもなく、情報なるものは強大な力を持つ。特定の人物を恫喝し、威嚇し、あるいは屈服・服従させ、場合によっては貶め、失脚させ、社会的に存在を抹殺することだってできる。だからこそ治安機関や情報機関といった存在は、政治や社会が慎重に監視し、適切に制御する必要がある。「I・S」のような危うい企ては本来、政治的な立場を超えて抑え込まなければならない。

なのに安倍政権は、政治・思想警察と情報機関的な役割を担う公安警察組織に対し、あまりにやすやすと強烈な武器を投げ与えつづけてきた。2013年には特定秘密保護法を成立させ、続いて盗聴法（通信傍受法）を大幅に強化し、2017年にはいわゆる共謀罪の創設までが強行された。いずれも戦後、警察組織が欲しくて欲しくてたまらなかったのに叶わなかった強力無比な〝抜き身の刀〟ばかりである。しかも、恣意的な運用や権限の行使を抑制するための歯止めはほとんど施されていない。

たとえば特定秘密保護法は、公安警察組織の権限を大幅に押し広げる。「テロ防止」や「特定有害活動（スパイ活動）」の防止にかかわる警察情報を特定秘密として隠せる道を切り開いた上、実際に漏洩事案が発生した際の捜査にも公安警察があたる。レーゾンデートルすら問われていた公安警察組織は安堵したどころか、高笑いをしているだろう。

また、特定秘密を取り扱う公務員らの「適正評価」にあたっては、当該の公務員らにかんする次のような事項を調査するよう定められた。

犯歴、交友関係、薬物の使用歴、父母や兄弟や子どもといった家族関係、さらには配偶者や内縁者の父母、兄弟といった姻戚関係者の国籍、居所、生年月日、果ては精神疾患、酒癖、経済状況……。

限りなく機微なプライバシー情報ばかりであり、現在の条文上は「当該行政機関の長」が調査するよう定めてはいる。だが、このような情報を本格的に収集できる組織は公安警察以外にはなく、いずれは公安警察が「適正評価」の調査を担う可能性は排除できない。実際に公安警察は過去、中央省庁の幹部に至るまでのプライバシー情報を調べあげ、時には隠微な手法で〝人事権〟を行使してきた実績がある。

いわゆる共謀罪にかんして言えば、その法案審議の過程で政府や法務省は「一般市民が捜査の対象になることはない」と強弁しつづけた。だが、政治・思想警察としての公安警察組織を長く取材した私から見れば、これもあまりに浮世離れした世迷い言としか思われない。起きてもいない犯罪を共謀段階で取り締まろうという以上、相当に広範な市民を対象とした監視活動はむしろ必須不可欠であり、それはなにも一般市民に限らず、重大な影響力を有する政治家や官僚だって例外ではない。

以上のようなことごとを併せ考えるなら、文科省という中央省庁の事務方トップの座にあった者のプライベート情報までを調査するのは、公安警察組織にとってみると至極当然の基本的作業だったのかもしれない。かつて前川の上司でもあった元文科官僚の寺脇研は、こうした現実を元官僚らしく受け入れているのか、半ば諦観したように私にこう語ったことがある。

「スパイの標的になる可能性だってあるわけだし、危機管理的な面からも、事務次官ともなればある程度はプライベートを調べられることもあるでしょう」

なるほど、そのとおりの面はあると私も思う。しかし、だとするならば、そうして集めた情報をいかに管理し、いかに使ったかが真剣に問われなければならない。

今回、前川が「出会い系バーに通っていた」という情報は、公安警察の影が強く疑われる。また、当初の収集目的はともかく、最終的には明らかに前川とその証言を報じようとしたメディアへの威圧、恫喝、あるいは強烈なネガティブメッセージとして使われた。幸いにして——と書けばやや語弊はあるが、前川が想像以上に潔癖、あるいは善人だったから難を逃れたものの、場合によっては社会的に抹殺され、爆弾告発が世に出ない方向に作用することだってあり得た。この事実を私たちは深く受け止める必要がある。

だというのに共謀罪審議の国会では、与党席からまたもこんな野次が飛んでいた。「警察を信用しろ」と。いや、そういう問題ではないのである。強力無比な〝抜き身の刀〟を手にし、政治家や官僚を含む広範な人びとを監視し、情報をかき集める治安機関が何を考え、どう動きかねないか。それを適切に制御し、歯止めをかけなければ、どのような事態が現出しかねないか。

政権を揺るがせた加計学園疑惑をめぐり、爆弾告発に踏み切った前川に向けて浴びせられた「出会い系バー通い」という謀略的な情報発信は、私たちにその重要性と危険性の双方を雄弁に物語っている。

6

さて、ここから記すことは、余談に属することがらかもしれない。ただ、非常に重要な余談でもあると私は思っている。

前述したように、私がレギュラー出演しているTBSラジオの生番組に前川が出演したのは2017年5月29日のことだった。それからわずか3日後の6月1日、首相の安倍晋三はTBSラジオにとってライバルともいえるラジオ局、ニッポン放送の収録に臨み、とうとうと前川批判を繰り広げた。

首相側とニッポン放送の間でどのような交渉があったのかはもちろん知らない。ただ、加計学園問題をめぐって前川が実名告発に踏み切り、メディアの生番組に出演したのは、これも前述したとおりTBSラジオが最初だった。

それが気に食わなかったのか、牽制でもしているつもりなのか、本気で反論するなら私たちの番組に出演する手だってあるのに、まるで当てつけかのようにライバル局で、しかも政権寄りの論客が数多く出演する局を選んで反論を試みるとは、いかにもセコいというか、下品な物言いをすれば、なんともケツの穴の小さな為政者である。

それはともかく、ニッポン放送の番組で首相はこう訴えた。

「前次官が私の意向かどうかということは、確かめようと思えば確かめられるんです。次官であればですね、『どうなんですか』と大臣と一緒に私のところに来ればいいじゃないですか」「議論をして最終的に3省の大臣が認めたんですね。そこには事務次官もいるんですよ。いったいじゃあなんで、そこで反対しなかったのか。不思議でしょうがないですね」……。

なるほど、言っていることは一応正しい。首相の「腹心の友」が理事長を務める加計学園の獣医学部新設をごり押しされ、文科行政が歪められたと訴えた前川自身、在職中にもっと抗えなかったことを「忸怩たる思い」「力不足だった」と私たちの番組でも率直に吐露していた。

しかし、同時に首相の主張は、本質的には大嘘だと思う。考えてもみてほしい。おかしいものをおかしいと、やめるべきものをやめてくださいとたとえば官僚たちが率直に具申できるほどの風通しの良さを、安倍政権は保っているのだろうか。異論や反論に耳を傾け、それを真摯に受け止め、必要に応じて聞き入れるほどの柔軟性と懐の深さを、果たして安倍政権は持っているのだろうか。

いわゆる共謀罪法案の審議をめぐっては、答弁もおぼつかない法相を国会で前面に立たせ、まともな議論にすら応じようとしなかった。「テロ対策」を最大の名分に掲げ、国際組織犯罪防止（TOC）条約の批准に必要だとか、これがなければ東京五輪が開催できないとか、ついには「一般市民が捜査対象になることはない」などという現実から遊離した戯言を、まるで壊れたテープレコーダーのように繰り返すだけだった。

異論や反論は雲霞のように提起された。共謀罪などは本当の意味でテロ対策の役には立たず、そもそもTOC条約はテロ対策とは無関係であって、これほど広範な罪を含んだ共謀罪を創設せずとも批准できる。むしろ捜査機関の恣意的な運用が市民のプライバシーや言論・表現の自由を侵し、監視社会化を招きかねない……等々等々、足下の自民党関係者からも懸念の声が漏れたというのに、聞く耳は「永遠のゼロ」だった。

果ては国連人権理事会の特別報告者ジョセフ・ケナタッチから「成立すればプライバシーや表現の自由を制約するおそれがある」という公開書簡まで送りつけられた。日本政府がこうした形で公開書簡を受けるのは初めてのことであり、「(共謀罪)法案は、適切にプライバシーを保護するための条文や措置が盛り込まれていない」などと指摘する書簡の内容はいちいちもっともな内容だった。別に国連信奉者ではなくとも、国際的に相当恥ずかしい事態である。

だからなのか、今度は官房長官がブチ切れた。「一方的に出された書簡の内容は明らかに不適切」「書簡は国連の立場を反映するものではない」などと言い放ち、特別報告者に抗議まで行った。挙げ句の果てにはこの書簡について「なにか背景があって出されたのではないか」などと難癖をつけ、最後まで法案の修正等に応じる気配すらみせなかった。

7

問題のレベルは相当異なるが、政権を直撃した森友学園や加計学園をめぐる疑惑への態度も同じだろう。少し前までは首相から「教育に対する熱意は素晴らしい」と絶賛され、熱心な首相支持者でもあった森友学園の籠池泰典は、自ら運営する幼稚園の園児に教育勅語や首相賛美を唱和させるグロテスクな復古教育の実態が報じられ、猛批判を浴びた。すると世論の風向きを読んだのか、政権防衛本能のゆえか、首相は手のひらを返したようにトカゲの尻尾を切った。それはそれで残酷かつ無情な話ではあるが、窮鼠と化した籠池の証言などによって疑惑は増幅し、なかでも首相の妻の〝威光〟が異例ともいえる国有地格安売却の背後に作用していたのではないか、と誰もが疑うような状況に立ち至った。

それでも政権は無視を決め込み、ろくな説明もせず、聞く耳も持たなかった。「印象操作はやめてください」「妻を犯罪者扱いして不愉快ですよ」「批判には当たりません」。首相や官房長官はそう言って話を逸らし、妻にも財務省にも一切、真相を語らせない。事実関係を真剣に調べさせようともしない。

他方、「一強」首相と官邸の意向を必死に忖度したのか、「私や妻が関わっていたら首相も議員も辞める」と言い放ってしまった為政者を決死擁護しようとしたのか、全貌を知っているはずの財務省幹部も国会でのらりくらりとした答弁を繰り返し、関連の文書も断じて公にしない。いや、「すべて廃棄した」と言い放って恥じる様子もなかった。その功労が高く評価されたのか、当事者は国税庁長官に出世したのは周知の通りである。

そして加計学園問題である。森友学園問題と同様に、いや、ある意味ではさらに行政が露骨に歪められ、首相の「腹心の友」へと利益誘導された疑いが浮上し、ついには文科行政の事務方前トップが実名告発に踏み切る事態に至ったというのに、これもまた断固として聞く耳を持とうとしなかった。財務省とは対象的に文科省から漏れ出てくる文書や告発の数々に向き合おうともせず、「あるもの」を怪文書扱いして「なかったもの」にしようと謀った。

そればかりか、告発に踏み切った前川の「出会い系バー通い」などというネガティブ情報を醜聞としてことさら喧伝し、官房長官が前川を名指しして「自ら辞める意思を示さず、地位に連綿（恋々の誤り）としていた」などと個人攻撃を加えた。こんな政権と向き合って、誰が在職中に真っ向から諫言できるというのか。おかしいものをおかしい、やめるべきものをやめてください、と一体誰が直言できるというのだろうか。

２０１７年6月には、韓国・釜山駐在の総領事が突如解任されたこともあった。この総領事は、釜山の総領事館前に慰安婦像が設置されたことへの対抗措置として同年1月、政権が駐韓大使の長嶺安政とともに一時帰国させていた人物である。解任時に各紙などが報じたところによれば、首相や官邸の判断を私的な会食の場で批判したことが問題視され、事実上の更迭処分を受けたのだという。

唖然とするしかない。ノンキャリアの韓国語専門職であるこの総領事をよく知る外務省関係者に聞くと、「反骨心を表に出すようなタイプではまったくなく、むしろ上の言うことを黙々とこなす忠実な役人」だという。そんな人物が政権の方針に否定的な言説を、しかも私的な会合の場で口にしただけで、クビをはねられてしまうのである。

悲しいかな、官僚にとって人事は最大関心事である。それを内閣人事局に牛耳られ、私的な会合で政権批判を口走っただけで更迭され、あるものをあると告発しただけで権力者から公然と罵られ、果てはプライバシーを暴露される。こんな政権下で、足下の官僚たちが首相や官邸に正面からもの申せるわけがない。

前文科事務次官の前川は、私たちの番組とは別のメディアインタビューで、次のような趣旨のことも語っている。

「小泉政権がひとつのきっかけとなって、官邸主導の風潮は強まっていった。ただ、当時もそれぞれの自立性、独立性がある程度はあった。総理指示といわれるものに反対の声があれば、それなりには受け止めてくれた。抵抗しても、人事などでの報復はなかった。小泉政権時代にはまだ風通しの良さがあった気はする。ところが、今は逆らえない雰囲気になっている」

「腹心の友」や取り巻きに利益を誘導し、行政を大きく歪ませたと疑われても、足下の官僚から発せられる異論や反論に耳も傾けない。従順に屈服する者は優遇して褒美を与える一方、従わない者は容赦なく切り捨て、踏みつけ、果ては個人攻撃を加える。現政権の薄暗い横暴と独善は、控えめに言っても一種の恐怖政治であり、民主主義とは最も遠い地平にある。あえて皮肉交じりに極論すれば、首相や首相の取り巻きたちが一貫して敵視する国の政体と、どこか相似形でもある。

第5章 警察の犯罪

1

寒さが徐々に厳しくなりはじめていた北海道の小樽市で1997年11月、1人のロシア人男性が北海道警によって逮捕された。拳銃を所持していた男性は間もなく、銃刀法違反罪で懲役2年の判決を受け、服役する。しかし、この事件をめぐって札幌地裁（裁判長・佐伯恒治）が2016年3月3日、「北海道警による違法なおとり捜査だった」として再審開始を認める決定を下した。

新聞もテレビもさほどの大騒ぎをしなかった。しかし、これは極めて重大な決定であり、背後には北海道警ばかりか日本警察全体を覆う、ぞっとするほど深く暗い闇が横たわっている。しかも、今回の再審開始決定で垣間見えたのは、闇のほんの一端にすぎない。

少々入り組んだ話なので、まずは概略から説明する。

このロシア人男性の名をナバショーラフ・アンドレイという。逮捕時の職業は船員、再審開始決定時点の年齢は46歳。札幌地裁の再審開始決定書などによれば、アンドレイの事件に携わった北海道警の元警部は、道警の銃器対策部門に所属し、小樽市内で中古車販売業を営むパキスタン人男性を捜査協力者として運営していた。

そして警部は銃器摘発の実績をあげるため、日ごろからパキスタン人男性に「なんでもいいから拳銃を持ってこさせろ」と無理な指示を繰り返していた。これを受けてパキスタン人男性は1997年の夏、偶然知り合ったロシア人船員のアンドレイに「銃を持ってくれば中古車と交換してやる」と持ちかける。パキスタン人男性がちらつかせた中古車は、1万ドルちかい値のついた日本製の高級SUV車だった。

アンドレイには、ロシアの故郷に父の遺品の拳銃があった。「タダ同然の銃を高額の中古車と交換できるならばラッキーだ」。そう考えたアンドレイは1997年11月、遺品の銃を持って船で再来日し、小樽港で待ち構えていたパキスタン人男性に手渡そうとした。だが、北海道警の捜査員に取り囲まれ、現行犯逮捕されてしまう。当然だろう。パキスタン人男性は北海道警の警部の協力者、いわばエス＝情報提供者であり、銃器摘発の実績をあげるために無理やり持ち込ませる策略だったのだから……。

それにしても、これは相当に悪質な「おとり捜査」である。もともと犯意すらなかった者にわざわざ罪を犯させて摘発するのは、警察組織が犯罪をつくりあげたといっても過言ではない。事実、札幌地裁の再審開始決定書もこれを「銃器犯罪に縁のない男性」に「犯意を誘発」させたと断罪し、「本件おとり捜査には重大な違法がある」として北海道警の捜査を次のように厳しく批判した。

〈密輸ルートを解明することが喫緊の課題だったような事情もなく、具体的嫌疑がない男性のような者にまで、拳銃の持ち込みを働きかけるのは道理にもとる。かえって

拳銃を国内に招き入れ、国民の生命、身体をことさら危険にさらした〉

まったくそのとおりだと私も思う。だが、このような警察の犯罪行為が一人の現場警部の手によって成し遂げられるはずもない。アンドレイが有罪とされた当初の事件公判では、北海道警の別の警察官らも出廷し、捜査の正当性を盛んに訴えていたからである。再審開始決定書もこう明記している。

〈犯罪を抑止すべき国家が新たな犯罪をつくりだした。さらに捜査官らは口裏を合わせ、おとり捜査を隠蔽した。重大な違法捜査だったからこそ組織ぐるみで隠蔽したのが真相というべきだ。本件おとり捜査は捜査の名に値しない〉

本件捜査は捜査の名に値せず、重大な違法捜査を北海道警ぐるみで隠蔽した——。唖然とさせられるような事実だが、話はこの程度にとどまらない。実をいうとこうした真相を明らかにしていた当該の元警部——稲葉圭昭は、自らも携わったさらに重大な警察の組織的犯罪を告発しているのである。

2

1953年に北海道で生まれた稲葉は、東京の私立大学を卒業後、1976年に北海道警に採用された。当初は札幌中央署や旭川中央署で知能犯捜査などを担当し、北海道警本部の銃器対策室に配属されたのは1993年。後述するが、銃器対策室は警察庁の指示で新しく創設されたセクションであり、まもなく銃器対策「課」へと格上げされることになる。

この銃器対策セクションで稲葉は目覚しい成果をあげ、「銃器捜査のエース」などともてはやされた。実態は相当デタラメな捜査に手を染めるようになり、アンドレイの事件のような所業にも及ぶのだが、上司の指示や期待に応えようと無理を重ね、それが原因だったのかどうか、ついには捜査協力者らから入手した覚せい剤に溺れる生活へと落ちていってしまう。

そして2002年、逮捕。当時の稲葉の階級は警部だったが、現役の警部が覚せい剤使用で摘発されるのは北海道警でも初めてという大不祥事であり、当然のこととして稲葉は懲戒免職となった。裁判でも懲役9年の実刑判決を受け、2011年9月まで服役もした。

一方で稲葉は、過去に携わった数々の違法捜査の実態を自身の公判などで告白しはじめた。アンドレイ事件の真相が明るみに出され、札幌地裁が再審開始を決定したのも、稲葉の証言によるところが大きい。しかも稲葉は出所直後の2011年10月、自ら著書『恥さらし――北海道警　悪徳刑事の告白』(講談社文庫)を出版し、北海道警などに激震を走らせたのである。

その著書の中には、こんな驚愕の告白も記されている。要約しつつ引用すれば、次のような事件捜査だった。

2000年、相変わらず銃器摘発の実績作りに躍起となっていた北海道警の銃器対策課に、暴力団関係者からある〝取り引き話〟が持ちかけられた。覚せい剤や大麻の密輸を見逃してくれれば、その見返りとして200丁もの拳銃を押収させてやる――そんな話だったという。

にわかには信じがたいが、銃器対策課はこの取り引きに応じる決断をし、実際に2度にわたって薬物の大量密輸を黙認した。1度目は覚せい剤130キロ、2度目は大麻2トン。覚せい剤だけでも当時の末端価格で40億円にものぼる膨大な量であり、いずれも札幌市から北方に20キロほどしか離れていない石狩湾新港から荷揚げされ、国内に流入した。

なのに、取り引きを持ちかけた暴力団関係者らは直後に行方をくらませてしまい、拳銃の大量押収は実現しなかった――というのが稲葉の告白である。事実とすれば、無残なほどの失敗捜査ではないか。いや、大量の銃摘発という餌に目が眩んでの取り引きだったというのだから、これはもはや北海道警が薬物大量密輸の〝共犯〟とすらいえる。

それにしても北海道警はいったいなぜ、これほど銃摘発の実績づくりに狂奔したのか。背景を覗き込むと、日本警察の歪(ゆが)んだ体質が横たわっていることにも気づく。

3

1990年代の前半、銃器を使用した重大犯罪が全国各地で相次ぎ発生した。1990年には長崎市長だった本島等が銃撃されて重傷を負った。天皇の戦争責任に言及した本島に反発した右翼団体メンバーによる凶行だった。同じころ、沖縄では暴力団の抗争で拳銃が頻繁に使われて市民に死傷者が発生し、1992年には自民党副総裁だった金丸信が講演会で狙撃される事件もあった。少し後の1995年3月になると、警察組織トップの警察庁長官・國松孝次が銃撃されて瀕死の重傷を負う事件まで起きている。

苛立(いらだ)った警察庁は銃刀法の改正に取り組むとともに銃器摘発の大号令を発し、これを受けて全国の都道府県警には銃器対策の専門部署が続々と新設された。稲葉が所属した北海道警の銃器対策セクションもそのひとつだった。

ところで日本の警察は、徹底した上意下達の組織である。全国の都道府県警は一応、それぞれ独立した自治体警察の建前を取っているが、実態は幹部人事や主要な予算を握る警察庁を頂点としたピラミッド構造を形成していて、全国の都道府県警は警察庁の顔色を常にうかがっている。しかも、さまざまな現場にはノルマ主義がはびこっている。そんな現場を知らぬ警察庁のキャリア官僚が発する号令は、各地の警察でしばしば異様で病的な反応を引き起こす。

とにかく銃を押収せよ——そう発破をかけられた各地の捜査員たちは、たとえば暴力団関係者らと密通し、コインロッカーなどに拳銃を入れさせて押収する、といった手口にまで手を染めた。所持者不明の拳銃だからこれを〝クビなし拳銃〟などと呼ぶが、捜査手法自体にも大いに問題がある上、暴力団関係者との関係などを含め、現場捜査員のモラルは著しく荒（すさ）む。

北海道警で釧路方面本部長などを務め、稲葉の上司だったこともある原田宏二は、当時のこうした風潮を「〝平成の刀狩り〟だった」と私に語った。北海道警ほど悪質だったかどうかはともかく、他の警察でも類似の手口は横行していたのだろう。ならば稲葉が暴露した北海道警の暗部は、日本警察全体を覆っていた病の片鱗にすぎない。

一方、大量の銃摘発という餌に目が眩んで大量の薬物密輸を黙認するという北海道警の悪行を、ついにマスメディアもキャッチした。だが、北海道警はこれを強引に踏み潰す。それは組織から漂う腐臭を強権によって糊塗（こと）し、真実を追及しようとした真摯な記者たちを奈落の底に突き落とす、二重の意味での権力犯罪であった。

4

暴力団関係者の甘言に乗せられ、銃摘発の欲に憑かれ、北海道警が薬物の大量密輸を黙認したのではないか——。その疑惑の一端を北海道メディアの雄・北海道新聞の取材班が摑み、裏づけ取材などをした上で報道に踏み切ったのは、2005年3月13日のことである。この日の朝刊には社会面トップに次のような記事が大きく掲載された。

〈覚せい剤130キロ　道内流入？
道警と函館税関「泳がせ捜査」失敗
道警銃器対策課と函館税関が2000年4月ごろ、「泳がせ捜査」に失敗、香港から石狩湾新港に密輸された覚せい剤約130キロと大麻約2トンを押収できなかった疑いがあることが、複数の当時の捜査関係者らの証言で12日、分かった。覚せい剤と大麻は道内に流入し、密売された可能性が強いという。流入した覚せい剤と大麻の末端価格の総額は、相場から約150億円以上と推定される。また約130キロという覚せい剤の量は、道内の年間押収量のおよそ500倍に相当する〉

これもまた稲葉の告白が端緒となり、北海道新聞が取材を進めて報じた特ダネだった。一方の北海道警はいきり立った。最悪の恥部に爪を立てられたことへの焦燥もあったろうが、道警から見れば、すっかり図に乗っている北海道新聞を何としても抑えつけたいという思惑もあったと思われる。北海道新聞に対する道警の苛立ちは当時、頂点に達していたからである。

ご記憶の方も多いだろう。北海道新聞は2003年の12月から、大々的なキャンペーン報道を繰り広げていた。ターゲットになったのは北海道警の組織的な裏金づくりである。捜査協力者らに支払うべきカネを虚偽領収書などによって裏金化し、幹部の交際費や遊興費に流用するという裏金問題は、これも全国の都道府県警に共通して蔓延していた病だったが、北海道新聞は果敢に取材のメスを入れ、独自の調査報道で全貌を白日の下にさらしつづけていた。

キャンペーン報道は1年以上に及び、最終的に北海道警は9億円もの国費などを返還し、当時の北海道警本部長が議会などで謝罪に追い込まれた。裏金問題をここまで追及したのは前例のないことであり、北海道新聞の取材班は2004年度の新聞協会賞や菊池寛賞といった数々の栄誉に輝く。警察組織の暗部を粘り強い取材で調査報道し、果敢に明るみに出した仕事は、そうした栄誉にふさわしいジャーナリズムの到達点だった。

ちょうどそんな時期、「泳がせ捜査失敗」の特ダネは掲載された。苛立ちをさらに強め、本気でいきり立った北海道警は、陰に陽に北海道新聞への圧力を強める。裏金問題取材班のキャップだった高田昌幸（現・東京都市大学教授）の著書『真実　新聞が警察に跪いた日』（角川文庫）などによれば、事件や事故の情報提供などから北海道新聞を排除して締めあげ、北海道新聞内部の不祥事を口実に強制捜査の可能性までちらつかせて脅しをかけた。北海道警の幹部を務めたＯＢも、北海道新聞を相手取って名誉毀損訴訟を起こした。

残念な話ではあるが、新聞社といっても所詮は企業である。多数の社員を抱えていれば、中には不届き者による不祥事もある。だから公権力に徹底して恫喝されれば、よほど腹の据わった幹部でもない限りは縮みあがる。実際、警察組織はそれほど強大な権力と権限を有している。間もなく北海道新聞は手打ちに向けた交渉を北海道警とはじめ、裏金問題取材班のメンバーは編集の中枢から次々と外され、２００６年１月14日の朝刊には異例の「おわび社告」が１面にでかでかと掲載される。

〈北海道新聞社は昨年３月13日、朝刊社会面に「覚せい剤１３０キロ　道内流入？」「道警と函館税関『泳がせ捜査』失敗」などの見出しで、道警と函館税関が２０００年４月ごろ、「泳がせ捜査」に失敗し、香港から密輸された覚せい剤１３０キロと大麻２トンを押収できなかった疑いがあるとの記事を掲載しました。

これに対し道警から「記事は事実無根であり、道警の捜査に対する道民の誤解を招く」として訂正と謝罪の要求があり、取材と紙面化の経緯について編集局幹部による調査を行いました。

その結果、この記事は、泳がせ捜査失敗の「疑い」を提示したものであり、道警及び函館税関の「否定」を付記しているとはいえ、記事の書き方や見出し、裏付け要素に不十分な点があり、全体として誤った印象を与える不適切な記事と判断しました。関係者と読者の皆さまにご迷惑をおかけしたことをおわびします〉

誤解をおそれずに書けば、メディアに誤報はつきものであり、誤報が判明したらすみやかに訂正し、場合によっては経緯を説明する必要がある。実際、日々の新聞には大小の訂正記事が掲載されている。しかし、1面にこれほど大々的な「おわび社告」が掲載されるのは異例中の異例であり、メディア界では「北海道新聞が詫びを入れ、道警と手打ちをした」と囁かれた。

取材班のキャップだった高田昌幸に尋ねると、問題とされた記事をいま、こんなふうに振り返っているという。

「あの『泳がせ捜査失敗』の記事は、確かに取材の甘い部分がありました。それは、内容が間違っていたというよりむしろ、踏み込み不足だったという点です。あれは『泳がせ捜査失敗』などではなく、『意図的な密輸の見逃し』、あるいは『道警も共犯の大量薬物密輸事件』だったのかもしれないのですから」

5

さて、そろそろ結論を記さねばならない。本章の冒頭に記したとおり、札幌地裁は2016年3月3日、ロシア人男性のナバショーラフ・アンドレイに対する再審開始決定を出した。地裁の再審開始決定書は、アンドレイを銃所持の現行犯で逮捕した北海道警の捜査を「捜査の名に値しない違法なおとり捜査」「犯意すらなかった者にわざわざ罪を犯させて摘発するのは、警察組織が犯罪をつくりあげたといっても過言ではない」とまで断罪した。

これに対し、札幌地検は直後に「地裁の判断内容は承服しかねる」とのコメントを出し、同時に即時抗告して抵抗を試みた。だが、札幌高裁は検察側の抗告を棄却し、2017年の2月に札幌地裁で再審公判がはじまった。最終的には検察側も有罪立証を断念、再審公判は即日結審し、3月7日にはアンドレイの無罪が確定したのである。

特別にビザが発給され、再審公判に臨んだアンドレイは、無罪決定後にこう言って笑顔を見せたという。

「無罪は長年待っていた結果。私を助けてくれた弁護士、支援してくださった方々に感謝したい」「犯罪者ではないと言えるのがとてもうれしい。2人の娘もとても喜んでいた」

この事件について私は、これも本章の冒頭で、日本の警察組織に巣くう腐臭の一端にすぎないと記した。あらためて整理すれば次のようになる。

①銃刀法違反罪で2年もの服役を強いられたロシア人男性アンドレイの再審が実現し、冤罪（えんざい）が判明する大きな端緒となったのは、当該の捜査に直接携わった北海道警の元警部・稲葉圭昭の告白だった。

②その告白によって明らかとなったのは、自らのエス＝捜査協力者だったパキスタン人を通じて犯意なきアンドレイをそそのかし、父の遺品だった拳銃を国内に持ち込ませて摘発するという違法なおとり捜査の実態だった。

③稲葉は当時、「銃器摘発のエース」などともてはやされ、無理な捜査を重ねていた。北海道警がこれほど銃器摘発に執着したのは、「平成の刀狩り」などと称される警察庁の大号令があったからだった。

④ところが北海道警は、アンドレイの当初の公判で捜査員たちが口裏合わせをし、違法な捜査の実態を組織ぐるみで隠蔽した。

そして稲葉はほかにも極めて重大な告白をしていた。それこそが北海道新聞の特ダネにつながる事件だった。すなわち、銃の大量摘発の欲望に憑かれた北海道警が２０００年、暴力団関係者らの甘言に踊らされ、銃摘発の見返りとして覚せい剤１３０キロと大麻２トンの密輸を許してしまった――つまりは道警が〝共犯〟ともいえるような形の大量薬物密輸事件である。

この情報を北海道新聞は「泳がせ捜査失敗」という形で記事にした。取材班のキャップだった高田が吐露したように、いまから振り返れば「踏み込み不足」の感はあったにせよ、これは果たして誤報だったのだろうか。アンドレイの冤罪発覚で稲葉の告白の信用性に公的なお墨つきが与えられたいま、こちらの驚くべき違法捜査——いや、「北海道警も共犯の大量薬物密輸事件」も、やはり事実だと考えるのが合理的ではないのか。

ならば当然、この事件の真相も、この事件の記事を口実に北海道新聞を屈服させた件も、あらためてすべてが徹底して検証されなければなるまい。

しかし北海道警の銃器対策課は、再審開始決定が出た直後にこうコメントするだけだったと新聞各紙は伝えている。

「コメントする立場にない。コメントできない」

そう、コメントできるはずがないのかもしれない。警察組織を包む闇の深度はとてつもなく深く、濃く、すべてが暴かれてしまったら日本警察全体が吹っ飛びかねないほどの爆薬が埋めこまれているのだから。

第6章 刑事司法の闇

――飯塚事件をめぐる重大な疑惑

いわゆる「飯塚事件」で死刑となった久間三千年（執行時70歳）の遺族らが起こしている再審請求をめぐり、福岡高裁は2018年2月6日、請求を退けた福岡地裁の決定を支持し、弁護側の即時抗告を棄却した。報道によれば、岡田信・裁判長は「犯人であることが重層的に絞り込まれている」と理由を説明したらしい。

かつて事件を取材し、『絞首刑』（講談社文庫）というルポ集でそれを描いた私は、おおいに首をひねる。脆弱な間接証拠しか示せなかった警察・検察の捜査と立証活動は、「重層的」などという表現とは最も遠いところにあったではないか、と。

だが、皮肉を込めて書けば、これは至極当然の決定かもしれない。仮に再審などを認めてしまえば、この国の刑事司法が根本から揺らぐ。無実かもしれない人間を処刑し、国家が縊り殺してしまったことになるのだから、世界の潮流に背を向けて固執する死刑制度への懐疑に加え、法務・検察への囂々たる批判が巻き起こるのも必至。ならば断固として隠蔽するしかないのかもしれない、と。

事件は1992年2月に起きた。小学1年の女児2人が登校中に行方不明となり、約20

キロ離れた山中で遺体が発見されるという凶行だった。

直前に東京、埼玉で連続幼女誘拐殺人事件なども起きていたから、面子をかけて捜査に着手した警察は早くから久間に目をつけ、嫌がらせに近い捜査手法まで駆使して追及した。だが、有力な証拠はつかめないまま捜査は難航し、ようやく久間逮捕に踏み切ったのは事件発生から2年半も経った94年9月のことだった。

前述のように、決定的な直接証拠はなかった。それでも有力とされたのはDNA型鑑定と目撃証言。女児に残されていた体液と久間のそれが一致したという科学警察研究所（科警研）の鑑定結果のほか、遺留品の発見現場付近で久間の車を見たという証言などを根拠として久間は有罪とされ、２００６年に死刑が確定。そして08年10月、死刑は執行された。確定から2年という異例のスピード執行に当時、多くの司法関係者が疑問を抱いた。理由は後述する。

一方、久間の死刑が執行されたころ、肝心のDNA型鑑定は信用性が崩れ落ちる。同じような女児殺害事件だった足利事件をめぐり、無期懲役が確定して服役中だった菅家利和氏の再審請求を受け、この事件でも有罪の最大根拠とされた科警研のDNA型鑑定をあらためて実施したところ、当初の科警研鑑定とまったく異なる結果が導き出され、菅家氏の無実が証明されたのである。

要は科警研鑑定の杜撰さが露呈したわけだが、実をいえば飯塚事件の鑑定も足利事件とほぼ同じ時期、同じ方法で、ほぼ同じ科警研メンバーによって実施されていた。ならば、飯塚事件で有罪立証の柱とされたＤＮＡ型鑑定に疑問符がつくのも当然だろう。しかも飯塚事件では、警察・検察がこれを隠蔽するような行為にも及んでいた。

１９９２年に女児２人が惨殺された飯塚事件で死刑となった久間は、取り調べ段階から公判に至るまで、一貫して容疑を否認しつづけた。冤罪事件でも一時的に容疑を認めてしまった者は数多く、それは長時間に及ぶ密室での取り調べという日本の刑事司法の歪みも映し出していて、久間のような例はむしろ珍しい。

しかも福岡県警の捜査は脆弱な間接証拠しか示せず、直接的な証拠は皆無だった。それを突破する切り札となったのが、被害者由来の血痕から久間のＤＮＡ型が検出された――という科警研の鑑定結果であった。

ただ、これも裏では怪奇な経過をたどっている。科警研の鑑定結果が出たのは事件発生から約４カ月後の92年６月。有力証拠の登場に県警は沸き立ったが、検察は客観性を担保するため外部での鑑定も求めた。委ねたのはＤＮＡ型鑑定の第一人者とされた石山昱夫氏（当時は帝京大教授）である。

石山氏は、科警研とは別の手法で鑑定を実施した。結果は「久間のＤＮＡ型は不検出」。だというのに事件発生から２年半も過ぎたころ、警察庁の高官が石山氏を訪ねてきたという。福岡の地元紙、『西日本新聞』によれば、高官はこう告げたらしい。

「先生の鑑定は非常に困る。妥協してほしい」

驚くべき話である。警察のむき出しの本音とも、科学鑑定のねじ曲げと隠蔽強制とも受け取れる。同紙の取材に石山氏は、当時の科警研鑑定を「私の研究室だったら、やり直しを命じるレベル」とまで指摘しているのだが、最終的には「妥協」に応じざるを得なかったのか、「調べた試料はごく少量で、久間の型が含まれていなかった可能性がある」と警察庁側に伝え、直後に久間は逮捕された。そして問題の科警研鑑定は有罪立証の柱とされ、久間は死刑判決を受けた。

ここに大きく二つの問題がある。まず、鑑定のもととなった試料。もともとは相当量あったのに、科警研は鑑定で大半を消費してしまった。現在は試料が一切残されておらず、再鑑定は不可能だというのだが、再検証すらできぬ証拠を有罪立証の柱とするのは、科学的にも刑事司法の手続き的にもまったく正当性を欠く。

もう一つは、科警研鑑定の信頼性がすでに根底から崩れ落ちている点である。同時期に起きた足利事件をめぐり、やはり有罪立証の柱とされた科警研のＤＮＡ型鑑定を再実施した結果、菅家(すがや)利和氏の冤罪が発覚している。

足利事件も、飯塚事件も、科警研の鑑定はほぼ同じメンバーが、まったく同じ手法で実施していた。しかも第一人者が「私の研究室だったら、やり直しを命じるレベル」と指摘する杜撰な鑑定は、その信頼性が問われるのは至極当然だろう。

しかし、久間はすでに処刑され、この世にいない。その執行時期を眺めると、さらに深い刑事司法の闇が垣間見える。

犯人とされた久間の死刑が福岡拘置所で執行されたのは２００８年10月28日。一貫して無実を訴えた久間の上告を最高裁が退け、判決が確定したのは06年9月だから、確定から執行まで約2年。かなり異例の〝スピード執行〟である。

先進国で死刑制度を維持するのは日本と米国のみだが、日本はその実態が極度の秘密裏にある。これ自体、相当に異様であり、どうやって執行順が決まるかも定かではない。ただ、近年は刑確定から執行までの平均が約5年半だと法務省が明かしており、久間の約2年はやはり短い。

いったいなぜだったか。当時の刑事司法をめぐる状況を俯瞰すると、ある重大な「疑惑」が浮かびあがってくる。

検察が脆弱な間接証拠しか示せなかった久間の公判で、科警研のＤＮＡ型鑑定が立証の柱となり、しかしこの鑑定の信用性が足利事件で崩れ去ったことはすでに記した。ほぼ同じ時期、同じ方法で、同じメンバーによって行われた科警研の鑑定が、足利事件では再鑑定で完全否定され、無期懲役刑で服役中だった菅家氏の冤罪が確定したからである。

さて、足利事件をめぐって東京高裁がＤＮＡ型の再鑑定実施を認めたのは08年12月19日だった。いうまでもなく、この時点で裁判所は科警研鑑定への疑念を相当深刻に捉えていた。当然、法務・検察はそれより以前の段階で鑑定の瑕疵を把握していた疑いが濃い。

なのにそのさなか、久間の死刑は執行された。これは果たして偶然か。いや、偶然と考える方が不自然だろう。つまり法務・検察は、飯塚事件でも科警研鑑定の信用性が問題化することを見越し、久間の死刑執行を急いだのではなかったか。無期懲役事件での冤罪はやむを得ないにせよ、死刑事件で冤罪が発覚すれば法務・検察への囂々たる批判が巻き起こり、世界の潮流に背いて固執する死刑制度への懐疑にまで広がってしまいかねない。だから異例の〝スピード執行〟によって久間を消し去ったのではないか――そんな疑念が、背筋が凍るような疑念が浮かぶのである。

もちろん、これは推測にすぎない。ただ、久間の有罪判決を支えた鑑定の信頼性が崩れた事実は揺らがない。久間の妻らが現在求めている再審請求をめぐって福岡高裁が2月6日、これを退けたことも本稿に記したが、高裁の裁判長は科警研鑑定の証明力を事実上否定した。その上で久間が犯人であることは「重層的に絞り込まれている」と強弁したのである。

ただでさえ脆弱な証拠しか示せなかったのに、立証の柱だった鑑定を取り除けば、さらに脆弱な状況証拠しか残らない。果たして久間は犯人だったのか。もし犯人でなかったなら、私たちの国家は無辜（むこ）の民を縊り殺してしまったことになる。しかも、背後には法務・検察の、さらに深い闇の気配が漂っている。

第7章 カウンター・ジャーナリズム

2016年7月31日　日本会議の正体

ツイッターとか、フェイスブックとか、あるいはブログとか、いわゆるSNSなどと称される類いのものを、私は一切やらない。私より年齢の若い人ならともかく、同世代の同業者も結構熱心にSNSに取り組んでいる人がいて、そういう姿を見ると本当に感心するというか、よくもまあ酔狂にというか、複雑な想いで彼ら、彼女らの〝情報発信〟を眺めることがある。

時おり、不用意な発言でトラブルになったり、プチ炎上したりするのを見かけると、ほーら、言わんこっちゃないと毒づいたりもする。誰もがフラットに情報発信できるようになったともてはやされ、ネットやSNSのそうした効能と意義を否定するつもりはないのだが、同業者ですらしばしば眉をひそめるようなことを書き込み、批判を浴びたりトラブルになったりしているのを見て、ひょっとするとこれは〝バカ発見装置〟ではないかと感じたりすることもある。

だいたい当方、なにごとかを取材してモノを書くという生業（なりわい）、つまりはジャーナリストとかノンフィクションライターなどと呼ばれる仕事で禄を食んでいるくせに、生来のなまけ者のゆえか、編集者に叱咤（しった）激励されたり攻めたてられたりしつつ、締め切りに追いつめられなければなかなか手が動かない。締め切りを大幅に過ぎてしまうことだって珍しくない。この原稿だっていま、締め切りぎりぎりで書いている。もとより自慢にもなんにもならず、単なる怠惰にすぎないのだが。

そんな私から見ると、誰かから尻を叩かれたわけでもないのにネットにつぎつぎと文字をアップしていく人の心情がにわかに理解できない。そんなヒマがあれば、先達が生みだした至極の文字をじっくりと読むか、酒でも飲んでいた方がよっぽどマシ。液晶画面を見つめるより、面と向かって話をしたい人もたくさんいる。

新著『日本会議の正体』（平凡社新書）も私の悪い癖が出た。追加の取材などで呻吟していたこともあるのだが、担当編集者に尻を叩かれても原稿が進まず、脱稿したのは当初設定された締め切りより何カ月も後。先の参院選で改憲ラインが焦点になったこともあり、幾人かの方から「もっと早く出すべきだった」と叱られた。まったく面目ない。

ただ、幸いに好評を博し、刊行直後に重版も決まった。現政権のコアな応援団に対する関心は高いということなのだろう。日本会議は宗教右派の統一戦線ともいうべき組織であり、現政権下での改憲に総力を挙げている。

その憲法観は相当に異様である。組織の中枢にいる活動家たちは、日本の国柄に反するという理屈で政教分離や国民主権の原則すら否定する主張を幾度も繰り返してきた。そうした歪んだ理屈で改憲へと向かえば、戦後民主主義どころか、近代立憲主義の土台すら根腐れする。遅くはなったが、拙著がその危険性を知る一助となることを願っている。

2016年8月28日　警察の隠しカメラ

特定秘密保護法やら、盗聴法（通信傍受法）の大幅強化やら、警察組織の権限ばかり広げてしまうとロクなことにならない、本コラムで私はそう繰り返して警告してきた。取材経験上、この国の警察組織は時にとんでもない悪業を平然としでかす一面があることを痛切に感じてきたからである。

たとえば、自作自演の交番爆破という謀略（1952年の菅生事件）、組織ぐるみの大規模汚職（82年の大阪府警ゲーム機汚職）、組織的な違法盗聴（86年に発覚した共産党幹部宅盗聴事件）。覚醒剤警官の組織的隠蔽（2000年、神奈川県警本部長の有罪が確定）、組織的な裏金づくり（03年、北海道警などで発覚）……等々。

にわかには信じがたいだろうが、いずれも現実に起きた事案であり、こんなものはごく一例にすぎない。

あらためて記すまでもなく、30万近い人員を全国津々浦々に配する警察は、人の身柄を拘束したり強制捜査をしたり、強大かつ広範な権限を持つ権力装置である。だからこそ権限に見合った外部からのチェック機能を働かせておかなければ、ベールの向こう側で権限ばかりが肥大化し、時に暴走し、制御が利かなくなってしまいかねない。

つい最近も、そうした危惧を抱かせる事件が発覚した。先の参院選をめぐり、大分県警が野党陣営の拠点施設に隠しカメラを設置していた、というのである。

報道などによると、県警が隠しカメラを設置していたのは別府市の地区労働福祉会館。民進党や社民党が選挙戦の拠点としていたが、カメラは敷地脇の樹の幹に結束バンドなどで固定され、内蔵のＳＤカードが幾度か交換されていた。

私有地へのカメラ設置は明確な違法行為（たとえば建造物侵入罪など）であり、野党の選挙運動を監視していたとするなら、政治活動の自由を侵す重大な憲法違反の疑いが浮かぶ。現時点で県警側の目的は判然としないが、ひょっとするとこれは日本警察が企てた「あの動き」とつながっていないか、という疑いすら私は抱く。

90年代後半、警察庁警備局を頂点とする警察の公安部門は、冷戦体制の崩壊を受けて存在意義が問われる事態に直面していた。そこで警備局は、各地の公安警察官に「幅広い政治情報の収集」という任務を与えようと企てた。与野党を問わぬ政治家のカネ、下半身を含む情報をかき集め、警察活動に役立てようというのである。

だが、これは極めて危険な野望だった。このようなことを警察が行えば、気に食わぬ政治家を脅したり牽制したりすることが可能となり、警察が政治をコントロールする警察国家につながりかねない。

この企てがその後どうなっているのか、残念ながら私は摑み切れていない部分もある。今回の大分県警の隠しカメラがそれにつながるものなのかも分からない。ただ、野党の選挙戦を警察が隠しカメラで監視するような行為は民主社会を根底から脅かす。メディアは真相を解明すべきだろう。

2016年10月2日　二枚舌

国家の情報はいったい誰のものか。本コラムでいくどか取りあげてきた近代民主社会の大原則だが、いくらくどくても、あらためて確認しておきたい。

国の機関だろうが、自治体だろうが、警察といった治安組織だろうが、私たちが付託した権限と税金で運営される公的存在である以上、その権限行使の過程で入手したり蓄積したりした情報は、基本的にすべて私たちの共有財産である。

もちろん、権限行使の過程で一定の秘密が必要になる場面までは否定しない。ただ、秘密にされた情報であっても、一定期間が過ぎたらできる限り公開され、検証を受けねばならない。そうしてこそ、権限の行使にあたる者たち――政治家や官僚など――は緊張感と責任感を持って権限を行使し、それが適切だったか否かのチェックが可能になり、後世に歴史と教訓を残すこともできる。

ところが、この国はこうした基本原則が疎(おろそ)かにされてきた。まず、公的情報をきちんと記録する制度が貧弱。仮に公文書として記録されても、隠されてしまうだけならまだしも、勝手に処分したり焼却したりといった振る舞いも横行してきた。

また、公文書を公開する仕組みも不十分。最近、大半が黒塗りで公開された東京都の文書を「ノリ弁」と揶揄する声が湧き起こったが、もっとひどい「ノリ弁」を私も何度か見たことがある。

つまり、私たちの共有財産であるはずの公的情報は、その核となる公文書の作成、管理保存、公開の過程すべてがお粗末なのである。なのに特定秘密保護法のような〝隠す〟ための法整備が進むのは異常に過ぎる——これも私は繰り返し批判してきた。

前置きが長くなった。本題に入る。

国と外務省はいまもなお、歴史的な公文書すら自らの専有物と考えているらしい。9月14日付の毎日新聞朝刊によると、ことのあらましは次のようなものだ。

いまから半世紀以上も前の日米合同委員会。両国の外務、防衛担当者らが日米地位協定の運用などを協議した会合だったが、あるNPO法人が最近、情報公開法に基づいて議事録の公開を請求した。

しかし、外務省は「他国との信頼関係が損なわれる」といった理由を盾に公開を拒み、NPO法人側はこれを不服として昨年12月、東京地裁に提訴した。現在も係争中である。

一方、国は昨年、沖縄県を相手に訴訟を起こした。同県が在日米軍絡みの公文書を開示したことに対し、この決定を取り消すよう求めたものだが、驚くべきことに沖縄防衛局は、この法廷に同じ議事録の一部を「証拠」として提出していた。

市民の情報公開請求は「外交」を盾に拒み、自らが起こした訴訟ではそれを「証拠」として提出する。この恐るべき二枚舌、ご都合主義。このような者たちに公的な権限を行使する資格はあるか、答えは記すまでもない。原則以前の問題である。

2016年11月6日　矛盾の正当化

米軍ヘリパッド建設が強行されている沖縄・東村高江（ひがしそんたかえ）。地元住民らが激しい抗議活動を続ける中、警備に送り込まれた大阪府警の機動隊員が住民らに次のような暴言を浴びせたことが問題化している。

「触るなクソ、このボケ、土人が！」

別の機動隊員もこう言い放った。

「黙れコラ、シナ人」

ヘリパッド建設反対運動に参加している芥川賞作家・目取真俊（めどるましゅん）氏らがこの模様を撮影し、動画サイトにアップしたことから批判が拡大し、菅義偉官房長官らも「許すまじきこと」などと弁明に追い込まれた。

ここで私があらためて難じるまでもないあからさまな侮蔑、嘲弄（ちょうろう）、剝（む）き出しの差別。その矛先に沖縄の人びとが置かれ、後者の暴言には中国の人びとへの蔑視まで加わっている。

なのに大阪府の松井一郎知事は自身のツイッターにこう書き込んだ。

〈表現が不適切だとしても、大阪府警の警官が一生懸命命令に従い職務を遂行していたのがわかりました。出張ご苦労様〉

下も下なら上も上。愚か者につける薬はないと嘆息するが、しかしこの一件、沖縄と本土の関係が取り返しのつかない位相に入ってしまったことを示す象徴的出来事ではないかと私は思う。

国策遂行といった美名の下、困難な現場に送り込まれた下っ端官吏は、負わされた矛盾や苦悩のはけ口を常に求める。それはしばしば剝き出しの憎悪や差別意識となって噴出し、眼前で対峙する者たちに向けて吐き出される。憎悪や差別によって矛盾や苦悩の正当化をはかる。警察や軍といった実力組織はその弊害が一層深刻で、たとえば戦地なら、兵士による虐殺や略奪、強姦のような行為まで横行する要因となる。

だから多少理性のある上層部なら、せめてそれだけは押しとどめようと手を尽くす。一方で愚かな上層部は、まるで自分が部下を守っているかのごとき勘違いで事態を悪化させる。当然だろう、現場官吏は自らの振る舞いが追認されたと安堵（あんど）し、行為をさらにエスカレートさせかねない。

それがいわば今回の機動隊員と松井知事の姿。だが、この出来事で本土と沖縄の関係が支配者と被支配者、植民者と被植民者のそれであることが鮮明になった。もっと正確に言うなら、本土の政府と官吏が沖縄をそういう目で眺めていることが露になってしまった。

政権も、ことの重大さに無自覚なようである。先日、首相の所信表明演説中に自民党議員が一斉に起立、拍手した問題。首相の呼びかけは次のようなものだった。

「現場では夜を徹し、いまこの瞬間も海保、警察、自衛隊の諸君が任務にあたっています。いまこの場所から、心からの敬意を表そうではありませんか！」

まさにその現場では、警察が沖縄の人びとを「土人」「シナ人」と蔑んでいる。矛盾を差別で正当化しようとしている。なのに起立と拍手で労をねぎらえという為政者。愚かなのは大阪府知事だけではない。

2016年12月4日　死刑と報復

さる10月7日、日弁連（日本弁護士連合会）が人権擁護大会を開き、2020年までの死刑制度廃止を目指すと宣言した。日弁連が死刑廃止の立場を鮮明にしたのは初めてであり、各メディアも大きく報じて波紋を広げた。

それからわずか1カ月後の11月11日、法務省は死刑を執行した。福岡拘置所で執行されたのは、熊本県で3人を殺傷し、強盗殺人罪などで死刑が確定していた田尻賢一（45）だった。

根拠はない。だが、法務省首脳は間違いなく日弁連の宣言を意識しただろう。つまり、日弁連の宣言に法務省は死刑の執行をもって応じた。死刑制度は断じて廃止しない、という報復的なメッセージを込めた執行である。

日弁連の宣言に対しては、犯罪被害者支援に携わる弁護士らが激しく反発し、大会にメッセージを寄せた瀬戸内寂聴氏が猛批判を浴びるという事態も起きた。各メディアのその後の報道を眺めていても、今回の宣言が犯罪被害者の反発と常にワンセットかのように扱われている。

大切なことなので書いておく。これは明らかな思想的後退であり、死刑制度と被害者感情を対置させるべきではない。

少し考えれば分かることだが、両者を対置させると、説明がつかない矛盾が次々と露になる。被害者感情を重視するなら、交通死亡事故の被害者遺族だって同じだろう。家族や近隣者のいない被害者なら加害者の罪は軽減されるのか。そんなことはあるまい。

そもそも死刑制度と被害者感情を対置させた瞬間、死刑制度が報復、復讐にほかならないと認めたことになる。それは「死刑の本質は復讐だ」と喝破したアルベール・カミュの時代以前に時計の針を巻き戻すことにほかならない。

カミュはこんなことも言っている。死刑が復讐だと認めるならそれは「本能の秩序に属するものであって、法律の秩序に属するものではない」と。フランスはこの24年後の19

81年、死刑制度を廃止した。それから30年以上の時を経て、死刑制度廃止は世界の潮流になっている。

一方で犯罪被害者の支援はもちろん進めなければならない。私自身、死刑制度をめぐるルポルタージュ集『絞首刑』(講談社文庫)を書くため、幾人もの犯罪被害者遺族を訪ね歩いた。陰惨な事件で近親者を奪われた人びとの悲嘆と絶望は想像を絶し、社会的な支援やフォローアップの必要性を思い知った。

しかし、それを死刑制度と対置してはならない。犯罪被害者の精神的・経済的な支援には真摯(しんし)に取り組みつつ、両者は別の位相で考えるべき問題である。そういえば、18世紀イタリアの思想家ベッカリーアは著書『犯罪と刑罰』でこう書いている。「人殺しを罰する総意の表現にほかならない法律が、公然の殺人を命令する、なんとばかげていはしないか」。フランス革命前、1764年の著書である。

2017年1月1日　言葉と独立

いまから20年近く前、法務省や警察庁は捜査を名目とした電話盗聴を可能にするよう画策し、そのための法律をつくろうと動き出した。この際、マスメディアは当初これを「盗聴法」と呼んだ。しかし、この呼称では市民の支持を得られないと考えた法務省の役人は、わざわざ各メディアの本社に足を運び、言葉遣いをあらためるよう要請した。いや、やんわりと圧力を加えたに等しかったと私は思っている。

　これを受け、マスメディアは言葉遣いをあらためてしまった。「盗聴法」ではなく「通信傍受法」と。両者を比べれば明確なように、受ける印象はまったく異なる。それも当局側に都合のよい方向へと、言葉の選択だけで物事の本質が置き換えられている。事実、法律は当局の目論見（もくろみ）どおりに成立した。

　以後も似たようなことは幾度も起きた。反対派が「戦争法制」だと批判した安保関連法制を「平和安全法制」なのだと政権は言い張った。武器輸出三原則を事実上破棄し、海外への武器輸出が解禁された際は、政権や防衛省はこれを「防衛装備移転三原則」なのだと強調しつづけた。

　ある防衛省担当記者が苦笑しながら教えてくれたのだが、防衛装備庁の最高幹部の会見ではこんなやり取りもあったという。

「武器の海外輸出についての見解をうかがいたいのですが……」

「言葉に気をつけたまえ。『武器』ではなくて『防衛装備』だ」

　言葉の選択で意味が反転する。軍を統括する役所を「平和省」、個人管理を司る役所を「愛情省」などと呼ぶディストピアを描いたオーウェルの『１９８４』を引くまでもあるまい。言葉の選択という生命線で独立性を失い、為政者に都合のいい言葉をメディアが使い始めた時、物事の本質はものの見事にごまかされ、為政者の思うがままに人びとは誘導される。

さて、在日米軍の垂直離着陸機オスプレイが先日、沖縄・名護市沖で大破する事故が起きた。米軍と日本政府はあくまでも「不時着」だと言い張り、大半の日本メディアも「不時着」と報じた。現場の状況が分からない時点ではやむを得ない面もあるだろうが、その後に入ってきた現場の映像を見れば、これはどう考えても「墜落」という言葉を選択するのがふさわしい。

ちなみに沖縄の主要２紙のうち、琉球新報は発生直後の紙面から「墜落」を主見出しに取った。事実を伝えるにあたり、その本質を射抜く言葉を、自らの判断で懸命に選び取ろうとしているか否か。ここにメディアの独立性が表れる。大半のメディアと琉球新報、どちらの独立性が高いか、あらためて記すまでもない。

2017年1月15日　情報公開と劇場政治

小池百合子都政は「情報公開」や「透明性」を重視しているのだと強調し、それを多くのメディアも鵜呑み(うの)にしている節がある。直近では、２０２０年東京五輪をめぐる「４者協議」がその一例であるかのように盛んに取りあげられた。

小池知事、大会組織委員会の森喜朗会長、政府代表の五輪担当相、そして国際オリンピック委員会（ＩＯＣ）高官の4者が参加する会議は相当部分が公開で行われ、これは小池知事の意向を反映したものだという。なかでも森会長が嫌みたっぷりな態度で小池知事に噛みつく様は、颯爽と登場した女性知事を旧悪オヤジがイジメている図にでも映ったのか、映像メディアの格好のネタになった。テレビの情報番組などが繰り返し報じたのはその証左であろう。

もとより、こうした「公開」がすべて悪いというつもりはない。ただ、これは「情報公開」などというより、「政治の劇場化」と評した方が物事の本質に近い。本来の意味での行政の「透明化」や「情報公開」というものは、こうした「劇場政治」とはまったく違う位相にあるのだと私は思う。

本コラムで何度か書いてきたが、東京都に限らず、国や各省庁、地方自治体、その他の公の組織、団体――つまりは公権力を行使する側が持つ情報は本来、全市民の共有財産というべきものである。公権力を行使する過程で一時的に秘密が必要になる場面があったとしても、すべてはいずれ公開されて歴史の審判を受けねばならない。だからこそ公権力を行使する側に責任感や使命感が生まれるのであり、成功や失敗を含めた教訓と歴史的事実を後世へと残していくことにもつながる。

そのための前提として、公の組織の意思決定過程などを公文書などの形できちんと記録し、適切に保存・管理し、公開する態勢を整える必要がある。しかし、この部分の法整備などが日本は遅れに遅れ、たとえば東日本大震災の際には政府の重要会議の議事録すら作成されていないことが判明した。いや、それどころか情報公開法の施行前には各省庁で公文書の大量廃棄が行われたことも記憶に新しい。

自治体レベルでいえば、東京都の情報公開レベルは最悪に近い。公文書の作成や情報公開制の充実度などを基準として全国市民オンブズマン連絡会議が2011年度に行った調査によれば、東京都の情報公開度は47都道府県のうち45位。この部分に本格的なメスを入れてこそ、本当の意味で「情報公開」や「透明性」を重視していることになる。

つまり、「情報公開」や行政の「透明性」を担保するという作業は実に地味なものであり、「劇場政治」とは真逆の地平にあるともいえる。

まして知事に都合のいい会議を「公開」し、それを「透明化」だともてはやすなら、映像メディアは「劇場政治」の単なる共犯者にすぎない。

2017年1月22日　明けた年へ

2016年が暮れ、2017年が明けた。暮れた年は英国のEU（欧州連合）離脱に唖然とし、米大統領選の結末に慄然とした。いや、別にヒラリー・クリントンが勝てば世界が良くなるなどと思っているわけではない。メディアは予測をはずしてばかりじゃないか、といった批判にいまさらつきあう必要も感じない。

ただ、虚偽＝デマや差別＝ヘイトを公然と吐き出す者が「世界一の超大国」の頂点に座るという現実に、強い怖気を覚える。排他や不寛容といった妖怪が世界中を徘徊していることに、かつてない危機を予感する。米国で、欧州で、そしてアジアや日本だって例外ではない。

他の仕事に手間と時間をとられて直接取材できなかったが、暮れた年の出来事で最も気になったのは、相模原市の障がい者施設で起きた殺傷事件だった。刃物を手にした容疑者に刺殺された入所者は19人、重軽傷者は職員を含め27人。戦後最悪級の大量殺戮である。

この仕事に携わるようになって以来、先輩記者たちに教えられてきた。事件は時代や社会の歪みを映し出す、と。ならば、相模原の事件は一体どんな歪みを映し出したのか。「障がい者などいなくなればいい」。逮捕後の調べにそう供述したという容疑者は、何に感化されて凶器を手にしたのか。「障がい者を抹殺する」。衆院議長宛ての手紙にそう書いたという容疑者は、何に影響されて凶器を振りおろしたのか。

時代や社会の歪みがそこに映し出されているなら、容疑者を指弾するだけではなく、まして精神に障がいを負った者の監視を強化せよといった弥縫策に走るのでもなく、自らの脚元を見つめなおさねばならない。「弱者」や「少数者」を軽んじ、排除し、「強者」や「多数者」に膝を屈していないか。デマも交えて己を礼賛し、他には悪罵を投げつける風潮は強まっていないか。排他と不寛容の気配が社会にたゆたっていないか。

政治がそれを先導している。「美しい国」を自賛し、「侵略の定義は定まっていない」と歴史修正にいそしみ、その信奉者は平然と差別言辞を吐き出す。米国にすりより、沖縄やアジアには誠意の欠片（かけら）すら示さない。なのに支持率は「安定的」に推移し、「歴史的な長期政権」を成し遂げつつあるという。この国では妖怪がむしろなめらかな空気として隅々を支配している。

明けた年はどんな時を刻むのか。預言者でもない以上、しかと見通す自信はない。ただ、暗い予感だけはある。今月の米大統領就任、欧州で続く重要選挙、この国でも2020年の狂乱イベントに向けて黒々とした雲が近づく。南スーダンではじまった武力伸張も、それをおびき寄せる導火線になり得る。治安法規も一層強化されかねない。だが、こんな仕事をしている私は、それに抗う文字を飽きずに紡ぐしかない。

2017年1月29日　「共謀」の刃

また悪法が鎌首をもたげてきた。共謀罪である。これまで3度も国会に提出され、いずれも廃案に追いこまれたというのに、政府・法務省はいっこうにあきらめず、今度は「テロ対策」の粉飾をまぶして1月20日招集の通常国会に再提出するという。

犯罪の実行行為ではなく、「話し合い」や「合意」を処罰対象とする共謀罪は、この国の刑事司法や警察活動のありようを激変させかねない。本コラムで以前から解説してきたとであろう。

が、なかでも問題視すべきなのは、人びとの内心や思想の領域が当局の監視対象になることであろう。

考えてほしい。起きてもいない犯罪の「話し合い」や「合意」を取り締まろうというのだから、当局が「危険」で「怪しい」とにらんだ人物、団体、組織の動向監視は欠かせない。当局目線に立ってみれば、そうした監視を日常的に、徹底的に行っておかなければ、起きてもいない犯罪の「話し合い」や「合意」段階を取り締まれるわけがない。

いや、実をいえばそんなことは、これまでも行われてきた。たとえば「左翼」取り締まりを至上命題としてきた公安警察は、彼らがいう「極左」や「過激派」を日常的に監視し、組織の内部や周辺にスパイを養成し、時には嫌がらせ的な強制捜査などまで繰り返して情報収集にあたってきた。

これだって本来は大問題である。しかし、共謀罪が導入されれば状況は大きく悪化する。法案審議でどこまで歯止めをかけるかはひとつの焦点になるが、政府原案は共謀罪の適用対象として実に700件近くの犯罪を挙げ、そこには詐欺や窃盗といった一般犯罪まで含まれている。これらを「共謀」しただけで処罰できるなら、治安当局の権限は圧倒的に強化、拡大される。

再び当局目線に立ってみれば、さらに強力な〝武器〟も必要になる。多種多様な犯罪の「話し合い」や「合意」はいったいどこで行われるか。白昼堂々、公の場で行われるはずはない。密室でひそやかに、あるいは電話や電子通信などの手段で秘密裏に行われる可能性が高い。

それを取り締まる以上、「危険」で「怪しい」連中の日常的な監視に加え、盗聴や通信傍受、果ては密室盗聴といった捜査手段が必要になる。でなければ、「共謀」の立証など現実的に不可能。いずれ、そうした議論が出てくるのは確実だろう。

自分は犯罪などと無縁だから関係ない、と考えているなら、その考えはあらためた方がいい。政府や当局が人びとの内心や思想を監視し、起きてもいない犯罪の「共謀」を取り締まるようになれば、まずは政府や当局が気に食わない市民的な活動がターゲットとされる。たとえば沖縄での米軍基地反対運動、各地での反原発運動の参加者らを抑え込むための格好のアイテムになる。かつて国会前のデモを「テロ」扱いした政権幹部もいた。社会の多様性や健全な批判機能が壊死すれば、いずれその刃(やいば)はすべての人に突き刺さる。

2017年2月5日　ネトウヨ官庁

公安調査庁などというマイナーかつ存在意義の薄い役所を体系的に取材したことのある者が少ないからだろう、最近相次いで同庁がらみのコメント依頼が舞いこんできた。まずは某ネットメディアと沖縄タイムスから。公安調査庁が毎年公表する報告書『内外情勢の回顧と展望』のなかで、〈中国の動き〉として、次のように記述したことをどう思うか、というのである。

〈『琉球独立』を標ぼうする我が国の団体関係者などとの学術交流を進め、関係を深めている。背後には、沖縄で中国に有利な世論を形成し、日本国内の分断を図る戦略的な狙いが潜んでいるものとみられる〉

ネトウヨレベルの馬鹿げた〝分析〟である。このような理屈がまかりとおるなら、政治にせよ経済にせよ文化にせよ、およそ中国と交流を持つ者はすべて〝中国の戦略的狙い〟に乗せられていることになってしまう。

さらに絶望的なのは、これほど稚拙な〝分析〟を公開報告書に堂々と書いてしまう度しがたいセンスだろう。百歩譲って公安調査庁内でそうした〝分析〟が語られたのだとしても、一応は公的な組織なのだから、沖縄の反発などを考慮すれば、報告書にこのようなことを書かないのが多少なりとも真っ当な神経を持つ役所としての最低限の見識のはず。

そうしたことをコメントしつつ、しかし、それを公安調査庁に求めても詮ない、とも私は答えた。無用なだけでなく、根本的に無能な役所だからである。

公安調査庁は１９５２年、破壊活動防止法（破防法）の成立とともに設置された。しかし、破防法は集会・結社や言論・表現の自由を侵しかねない悪法であり、法成立時に猛烈な反対運動が起きたこともあって、公安庁は破防法にもとづく団体規制請求を一度も行えないまま半世紀近くの時が経過した。

畢竟、同庁の調査官の質は目を覆わんばかりに劣化し、怪しげな情報を右から左に動かして悦に入るような連中ばかりが増殖した。恥ずかしながら、私もかつて連中のガセ情報に随分踊らされた。

その一端が、オウム真理教事件の際に露呈した。組織発足以来、初めて団体規制請求に踏み切ったのだが、警察捜査によって危険性など微塵(みじん)もなくなった後の請求だった上、スポーツ紙のコピーまで〝証拠〟として示す様に、公安関係者の多くも失笑した。結果、初の規制請求は当然却下された。

以後、公安調査庁のリストラは進み、実際に人員は減っていった。ところが、沖縄タイムスなどの取材と前後し、朝日新聞からもコメント依頼の申し入れがあって逆の事実を教えられた。公安調査庁がこの数年、「テロ対策」を大義名分として人員を増やしていることをどう思うか、というのである。

取材記者によれば、公安調査庁の人員と予算は東京五輪に向けてさらに増やされる見通しだという。だが、ネトウヨまがいの報告書を堂々と公表する無能官庁など、「テロ対策」の役に立たぬばかりか、市民社会に害悪を振りまくだけだろう、と答えた。それは共謀罪にも同じことが言える。

2017年2月19日　新聞の仕事

メディアの大きな役割は権力の監視である、などと常日ごろ主張しながら、現実にはその役割を十分に果たしていない。だからメディア不信が加速している。全国紙を例にとると、過半の新聞は無残な政権の提灯持ちに堕し、残る新聞にしたって、2年ほど前の異様な朝日新聞バッシングの後遺症などもあるのか、最近はなんだか元気がない。少なくとも権力の深淵を抉(えぐ)るような特ダネは最近とんと飛び出さない。さみしい。

そう思っていたら、2月1日付の毎日新聞朝刊に刮目すべき特ダネが載った。1面トップの見出しは次のようなものである。

〈GPS捜査　秘密裏指示
　警察庁　06年通達
　　書類に不記載徹底〉

「全地球測位システム」とも呼ばれ、スマートフォンやカーナビに利用されるGPSを使った警察捜査は、従前からその是非が議論になっていた。警察が捜査対象者の車両などに

ＧＰＳ端末を密かに取りつければ、対象者の動静や立ち寄り先は24時間態勢で徹底監視できる。警察側はこれを従来の尾行捜査の延長線上にあるものだと捉え、裁判所の令状も不要だと主張して実行していた。

他方、これは従来の尾行などとは位相の異なるプライバシー侵害を引き起こすから、せめて裁判所の令状を義務づけるべきだという声は根強く、関連の刑事裁判では裁判所の判断も割れ、最高裁大法廷が近く判断を示す見通しになっている。

そうした議論の背後で警察庁が２００６年、全国の警察に通達を発し、捜査にＧＰＳを使用したことは徹底して秘密にしておくよう命じていた――それが毎日の放った特ダネの骨子である。

ＧＰＳにせよ、監視カメラにせよ、あるいは警察の言う「通信傍受」――いわゆる盗聴にせよ、情報技術の進歩に伴って警察当局の捜査も従来とは大きく変貌しつつある。これをどう受け止めるにせよ、大きな流れを押しとどめるのは不可能に近い。

ただ、警察が「怪しい」と判断しただけで最新の情報技術を利用できてしまうなら、例えば公安警察などは確実に悪用をはじめる。市民のプライバシーも重大な危機に瀕する。ならば、きちんとルールを定めて歯止めをかけるのは至極当然の理屈。

その点において、今回の毎日特ダネは大切な記事だった。警察のホンネ――できるなら歯止めなど一切かけず、監視ツールをフリーハンドで使いたいというホンネを、見事にあぶりだしたからである。

この原稿を書いている時点で他紙が追随していないのは残念だが、毎日は翌2月2日付の朝刊に〈超監視社会を招く怖さ〉と題する社説を掲げ、社会面には警視庁によるGPS活用の実態を伝える続報も載せた。事件取材の情報源である警察と対峙するのはしんどいだろうが、これこそメディアの役割を果たす報道であり、粘り強い取材で警鐘を鳴らし続けてほしいと願う。

2017年4月23日　碩学の訃報

4月1日、宇野重昭さんが亡くなったとの報に言葉を失った。享年86。言うべきことを言う勇気と誠実さが共存した尊敬すべき知識人だった。

正直に記せば、長く交遊させていただいたわけではない。初めてお目にかかったのは約2年前。拙著『安倍三代』(現在は朝日文庫に収録)の取材がきっかけだった。

東大教養学部を卒業後、外交官などを経て成蹊大法学部の教授に就いた宇野さんは、中国共産党史や毛沢東研究の第一人者として知られ、成蹊大では法学部長、学長などを歴任した。成蹊大は現首相の母校であり、宇野さんは恩師でもある。首相とは卒業後も個人的な親交を重ねていると仄聞(そくぶん)し、私は取材を申し入れた。これまで類似の取材に応じていないから、断られると覚悟していたが、予想に反して承諾してくれた。私は慌てて宇野さんの著書を乱読し、自宅に伺った。

当初、宇野さんは慎重だった。それも無理はないと思った。トップの学長まで務めた立場でかつての教え子を——まして首相の座にある教え子をあれこれ評するのは慎重にならざるを得ない。宇野さん自身、保守とかリベラルといったレッテルで物事を語るのを忌避していた。しかし、その口から徐々に思いが溢(あふ)れ出し、特に安保法制に話題が及んだ時、宇野さんはきっぱりと言った。

「間違っている、と思います。私の国際政治学(の授業)をちゃんと聞いていたのかな、と疑っているところです。正直言いますと、忠告したい気持ちもあったんです。成蹊に長く勤めた人間として、忠告した方がいいという声もいただきました。よっぽど、手紙を書こうかと思ったんですが……」

その際の様子を、拙著『安倍三代』にこう書いた。

〈瞬間、宇野の目にはっきりと涙が浮かんでいるのに気づき、私はうろたえた。かつての教え子への憤りなのか、教え子が誤った道を進んでいることへの失望なのか、教員としての自らの力不足への悔悟なのか、理由を尋ねることはできなかったが、その目からは涙があふれ出そうになっていた。

しかし、宇野はまったく姿勢を崩さず、椅子の背もたれに身を預けることもなく、両手を膝の上にきっちりと置いたまま話を続けた。その姿は、現政権やその信奉者た

ちがいう「美しい日本人」なるものがいるとするなら、まさに眼前の宇野のことではないかと感じるほどだった〉

この文章を雑誌で最初に発表した際、宇野さんがどう読むか気になったが、直後に丁重な礼状をいただいた。そこにはこう綴られていた。

〈私が首相に伝えたかった気持ちを見事に表現してくださり、感謝申し上げます。いつか、よりよき変化が首相にあらわれることを期待しているところです〉

短いコラムでは発言のごく一部しか紹介できないが、私の取材時に宇野さんはすでに病を体に抱えていたらしい。そして教え子が〝良質な保守〟に変化することを願っていた。母校の碩学(せきがく)が最後に発した警句、それが届くことを私も切に願う。

2017年4月30日　ふたつの病

政治記者ではない私だが、近ごろの永田町界隈(かいわい)を眺めつつ、日本政治は大きくふたつの病に侵されていると感じる。そのいずれもが、森友学園問題をめぐって政権側から最近発せられたふたつの「ことば」に集約されている。

まずは4月12日午前、衆院の厚生労働委員会。国有地売却に関する政府説明に納得できないとする回答が世論調査で約8割に上っており、妻や関係者に国会できちんと証言させるべきではないか――随分と弱腰な調子でそう質問した野党議員に対し、首相は次のように答弁した。

「その世論調査によりますと、内閣支持率は53%ということでございまして、自民党の支持率、あるいは民進党の支持率はご承知の通りでございます」

顔には明らかな薄ら笑いが浮かんでいて、私はおぞましさに目を背けたのだが、極言すればこういうことになる。政権として支持を得ている以上、個々の疑問や異見に耳を傾ける必要などない――と。

権力は腐敗する。絶対的権力は絶対的に腐敗する。そんなジョン・アクトンの警句を持ち出すまでもなく、「一強」と称される状態が長く続くにつれ、腐敗の根茎は地中深くに伸びていく。それにあまり自覚的ではないように見えるのが現政権の幼稚性だと私は思うが、国有地が格安売却された背後にも同じ腐敗の根深さが見てとれる。

「一強」の官邸が官僚人事を牛耳り、役所にはヒラメ官僚が増殖する。天真爛漫な首相の妻は無節操に振る舞い、その一挙手一投足がヒラメを走らせる。政権の支持者たちはそれを利用し、実際に政治はねじ曲げられる。かつてのように薄暗いカネが飛び交う腐敗ではなく、もっと構造的な腐敗がそこには醸成されている。

もうひとつの「ことば」は、教育勅語をめぐる政府の閣議決定に刻まれた。

「憲法や教育基本法等に反しないような形で教材として用いることまでは否定されることではない」

天皇が臣民に示した「国民道徳」としての教育勅語は、忠君愛国の強制にこそ本旨があり、戦前戦中のファッショ体制を下支えした。これを否定するところから戦後は始まったはずなのに、戦前戦中への回帰を願う歴史修正主義者はくすぶり続け、現政権はそうした層からコアに支持されてきた。

日本会議はその代表格だが、森友学園問題はそれを見事にあぶり出し、幼児に教育勅語を暗唱させるアナクロぶりが世を驚かせた。批判を受け、さすがの政権も公然と教育勅語を肯定できず、かといってコアな支持層を離反させるわけにもいかない。だから玉虫色の閣議決定で逃げを打った。

しかし、これは明らかに戦後の否定であり、大きな悔いを後世に残す。なのに、人びとが深刻な危機を共有する気配はなく、むしろ戦後の日本を逆コースへと誘った朝鮮半島での危機が、ふたたびすべての病を覆い隠してしまいそうな雲行きである。陳腐だが、やはり歴史は繰り返すのだろうか。

2017年5月21日　復興相と共謀罪

復興相が事実上の更迭に追い込まれる原因となった発言——東日本大震災の被害について「まだ東北で良かった」という発言は、論外の暴言である。ただ、その前段として問題化した発言——いわゆる自主避難者について「自己責任だ」と言い放った記者会見での発言は、現政権の本質を照射している点で、さらに重大な意味を孕んでいたと私は思う。件の復興相を任命した人物、すなわち現政権の主は、ことあるごとにこう訴える。「いかなる事態にあっても国民の生命は断固として守り抜く」。憲法解釈の変更で集団的自衛権の行使を一部容認した安保関連法制の際も、最近では北朝鮮をめぐる緊張が高まった際も、まるで口癖であるかのように類似の台詞を繰り返した。

もとより、その言やよし。国民の生命と生活を守るのは政治最大の使命であり、異論はない。だが、ここで言う「国民」とはいったいいかなる者を指すのか。

政府が避難指示を出せば、それにきちんと従い、避難指示を出さなければ、それにも従う者。政府が避難指示を解除すれば、それにきちんと従って帰還する者。お上の判断や指示に忠実で、余計な思考は持たぬ者。それはそれで一つの生き様ではあるとしても、お上の判断や指示に従えない者はバッサリ切り捨てる。守るつもりなどない。すなわち「自己責任」。

もちろん、現実政治や財源などの都合上、すべての要望に対応できぬ面があるのは否定しない。しかし、まつろわぬ者は「国民」の範疇（はんちゅう）に入らない。そんな剝き出しの本音「自己責任」。

政府が今国会に法案を提出している「共謀罪」も同じようなことが言える。法案に関し、首相も法務省もこう繰り返した。「一般市民は対象にならない」。ここでいう「一般市民」とはいかなる者か。

時の政権の意向に粛々と従い、反旗など翻さぬ者。市民運動やデモ、集会などに関わらず、日々を至極大人しく過ごす者。選挙は与党に投票し、本コラムなどに興味を示さぬ者。そんな羊のような「一般市民」なら、共謀罪の対象には決してならない。

首相や法務省の強弁とは異なり、法務副大臣は4月21日の国会審議でこう吐露した。「一般の人が対象にならないことはないが、ボリュームは大変限られたものになる」。そう、まつろわぬ少数者は「一般市民」といえない——そんな本音がちらちらと垣間見える。実際、法案の立てつけも現実にそうなっている。

さて、私は、あなたは、現政権がいう「国民」か、「一般市民」か。少なくとも私は、そんな存在には断固なりたくない。

余談になるが、政治家の失言や暴言には、しばしば当の政治家の本音や本質が透けて見える。記者会見でしつこく質問し、復興相を激高させ、ついには剝き出しの本音を引き出したのが大手メディアの記者ではなく、一人のフリーランス記者だったことも、私たちは記憶しておかねばならない。

2017年6月4日　攻撃の本質

Wanna Cry――泣きたくなる。そう呼ばれるランサム（身代金）ウエアを使ったサイバー攻撃が先ごろ、世界中のコンピューターに深刻なダメージを与えた。ユーロポール（欧州刑事警察機構）によれば、被害を受けたのは少なくとも世界150カ国で20万件以上にのぼるという。日本でも一部企業などで感染が確認され、これに対する予防法であるとか、攻撃を仕掛けたのは北朝鮮のハッカー集団ではないかとか、メディアはさまざまに取り上げている。

しかし、分析や思考の幅が狭窄（きょうさく）しすぎてはいないか。このサイバー攻撃をめぐる最も根本的な議論が日本ではほとんど深まっていないことに、私は苛立つ。

攻撃直後の5月14日、米マイクロソフトの社長兼最高法務責任者、ブラッド・スミス氏は自社のHPにこう書いた。

〈NSAから盗まれた脆弱（ぜいじゃく）性情報が世界中の顧客に影響を与えた〉

NSAとはもちろん、米国の治安機関・国家安全保障局を指す。CIA（米中央情報局）

の元職員、エドワード・スノーデン氏が暴露したように、世界中の通信情報データを貪欲にかき集め、独首相らの電話まで盗聴したことで知られる世界最大の通信傍受機関でもある。そのNSAから「盗まれた」とはいったいどういうことか。

今回のランサムウエアは、マイクロソフトの基本ソフト（OS）であるウィンドウズのシステム的な脆弱性、すなわちバグを悪用したものだった。このバグはあるハッカー集団が少し前、ネット上で暴露し、マイクロソフト側は対策としてOSを修正するアップデートを配布していた。しかし、アップデートを行っていないコンピューターが軒並み被害を受けた。

今回の攻撃を行ったハッカー集団の正体は判然としない。ただ、このバグはもともとNSAが発見し、蓄積していたものの一つだったようなのである。それが流出し、使われた。要するにNSAなどの情報機関は、ウィンドウズといった汎用（はんよう）ソフトのバグや欠陥を探し、これを発見しても企業側に通報することも情報共有することもせず、むしろそれを世界中での監視・諜報活動に悪用していた。

前出のスミス氏はこうも書いている。

〈こうした脆弱性情報を蓄えることで市民に与えるダメージを政府は考慮してほしい〉

〈政府が脆弱性情報を蓄積して利用するより、企業に通報することを要求する〉

逆にいうならNSAのような治安・情報機関は、市民に与えるダメージよりも自らの活動を優先し、諜報・情報収集活動に邁進（まいしん）している。

折しも国会では共謀罪の成立を政府与党が急いでいる。国は違えども、かつて治安機関を集中的に取材した私が見るところ、治安機関や情報機関なるものの本質が今回のサイバー攻撃から垣間見える。なのに、それがほとんど議論にならない現状にこそ私はWanna Cry——泣きたくなる。

2017年9月3日　過去と未来

作家・平野啓一郎氏の長編小説『マチネの終わりに』（毎日新聞出版）に、主人公のこんな台詞（せりふ）が登場する。

「人は、変えられるのは未来だけだと思い込んでる。だけど、実際は、未来は常に過去を変えてるんです。変えられるとも言えるし、変わってしまうとも言える」

端正な恋愛小説ではあるが、平野氏は同じ主人公にこんなことも語らせている。

「花の姿を知らないまま眺めた蕾（つぼみ）は、知ってからは、振り返った記憶の中で、もう同じ蕾じゃない。音楽は、未来に向かって一直線に前進するだけじゃなくて、絶えずこんなふうに、過去に向かっても広がっていく。そういうことが理解できなければ、フーガなんて形式の面白さは、さっぱりわからないですから」

なるほど、と思う。過去は未来によって変転する。もっと正確に言うなら、未来に起きた（起こした）ことごとによって、過去に起きた（起こした）ことごとの評価は変わる。変わり得る。過去＝歴史とは相当な脆さを孕んだ代物であり、だから歴史修正などという醜悪な試みも絶えないのだろうが、さらに言うなら、未来に向けて生きている者たちには、直近に起きた（起こした）ことごとの意味がしかと見極めにくい。何年か後に、あるいは何十年か後に起きた（起こした）出来事によって、または出来事の集積によって、ようやく評価は定まっていく。ああ、あの時の出来事はこういう意味を持っていたんだなと知る。あれが大きな分水嶺だったんだと気づく。

それでは戦後72年目の夏、私たちは未来にどう評価されるのか。特定秘密保護法、安保法制、共謀罪、そして改憲への蠢き。「戦後」の矜持を破壊する企ての数々。これは一体何の蕾なのか。何年か、何十年か後にグロテスクな毒花を咲かす蕾なのか、そうではないのか。

私は強い怖れを抱いている。未来からの眼で眺めた時、あれが大きな曲がり角だったと見定められ、その時代の連中は何をしていたのかと罵られるのを怖れる。平野氏も同じなのだろう、盛んに政治的な警告を発している。

そういえば先日、『サンデー毎日』誌上で半藤一利、保阪正康の両氏と鼎談した際、半藤氏は〈戦後という意識から変えなければいけない〉と語り、こう指摘した。

〈私たちは大日本帝国からの延長に戦後日本国があると受け止めていて、日本国という新しい国を建国したのだという意識がない。だから戦前の日本を徹底的に検証しなくてはと

言っても、うやむやな連続性のなかにいるため、問題意識が伝わらない〉
まったく同意する。ただ、これは両氏の考えとはおそらく異なるが、「うやむやな連続性」の核心が天皇制ではないかとも私は思う。その天皇が「戦後」の守護者かのように受けとめられ、「戦前」に拘泥する者たちが「戦後」の破壊に躍起となっている。この風景は未来にどう評価されることになるのだろうか。

2017年9月24日　一閃の青い暴力

沖縄をめぐる論考はさまざま目を通してきたが、これほどヒリヒリした経験はあまりない。作家の目取真俊氏と辺見庸氏の対談集『沖縄と国家』（角川新書）を読んだ。

沖縄出身で沖縄に暮らし、米軍基地反対運動に身を投じつづける目取真氏は、運動の現場と孤独な思索のなかで積もりに積もった言葉の矢をつぎつぎと放つ。その直線的で具体的で衒いのない矢に、辺見氏ですら気圧されているように感じられる。なかでも私に深くつきささったのは、あふれでるように語られたこんな一言だった。

「どんなに集会やっても耳を傾けてもらえない、どんなにゲート前に座り込んでも、一切無視して工事をどんどん進める。選挙で圧勝して民意を示しても無視される。残された最後の手段は、暴力に訴えてでも、アメリカ国民に精神的な打撃を与えて、沖縄に軍隊を駐留させたらこんなことが起こりうるんだということを、知らしめることじゃないか」

最後の、そして極限の抵抗手段としての暴力。かつて目取真氏は、そんな行動に出た男を描く掌編『希望』を発表した。辺見氏は「文芸史上でも思想史上も衝撃的な作品」と評価し、こう応じる。

「僕の中では非常に不規則な表現になるけれども、自分の中にああいう人間を抱えていると思うわけです。暗黙の共感です」

もちろん、目取真氏は暴力を扇動するわけでも、肯定するわけでもない。「それは決して、状況の好転をもたらさない」「そんな人間を出さない、出したくないからこそ、『希望』という作品を書いた」と語りつつ、戦後本土の安穏に正面から斬り込んでいく。少し長く引用する。

「日本の戦後のあり方はアジアの中では例外だった。朝鮮半島にしても台湾にしても、フィリピンやインドネシアにしても、大半の国では独裁体制が敷かれて、虐殺や圧政が続いたわけです。日本だけが米国が進めた民主主義の下で高度経済成長をとげ、豊かな生活を享受してきたわけですね。本気で国家権力と対峙して、死人が出るまで闘ったことは数少ない」

「ヤマトゥに住む人たちが考えなければいけないのは、沖縄すら説得しきれないで、ましてやアジアの人たちに、日本がどれだけ共感を得られるかということです。アジアの多くの国にとって共通の歴史経験というのは、日本に侵略されたことです。日本の経済的・政治的力が低下していけば、そういう共通経験からくる日本への反発、怒りが噴出するかもしれない。そのことへの怖さを感じないのかなと思います」

その警告は、隣国ばかりか沖縄にもヘイト言辞を吐き出す愚か者にとどまらず、あたかも沖縄に理解を示しているかのような「なーんちゃって」人間にも向けられていると辺見氏は言う。

さて、それでは私たちは——いや、私はどうか。重く突きつけられた匕首（あいくち）に、自身の中に「一閃の青い暴力」を見たという辺見氏とともに考察しつづけるしかない。

2017年11月19日　移ろう街

東京・新宿のゴールデン街と呼ばれる酒場街をふらつくようになって、考えてみればもう四半世紀になる。通信社の社会部に勤めていたころは、社や自宅にいる時間よりゴールデン街にいる時間の方が長いんじゃないか、などとからかわれた。

もちろん、そんなことはなかったと思う。ただ、そうからかわれても仕方ないほど入り浸り、朝方まで何軒も店をはしごしていた。単に酒を飲むだけではなく、この街での人との交わりが楽しかった。いや、楽しかっただけでなく、日々の仕事に有益だという現実的打算もあった。

それほどさまざまな人びとが、この街のネオンに誘引され、夜な夜なカウンターに集っていた。新聞記者や雑誌記者、業界紙の記者と出会えば、社の垣根を越えて情報を交換した。編集者と出会えば、取材中の仕事の話を尋ねられ、伝え、時に書籍の企画が進行しはじめた。

作家もいた。映画監督もいた。演劇人もいた。主にメディア界の関係者が多かったが、そればかりでもなかった。政治家もいたし、官僚もいた。右翼の大物もいたし、素性不明の情報屋もいた。しかも酒を飲んでいるから、いがみ合いはしょっちゅうのこと。表に出ろと言って喧嘩になる場面もあったが、この街での邂逅を機に親しくなり、情報交換したり本を作ったり、そちらの記憶の方がはるかに多い。

しかし、街の風景は時の移ろいとともに変わる。ゴールデン街も確実に変わった。メディア関係者はいまもそれなりに集うが、その数はかつてより減った。代わって爆発的に増えたのは外国人観光客。さほど広くない一角に数坪ほどの飲み屋がびっしり密集し、色とりどりの看板が乱立する風景は世界的に珍しいのだろう。週末は街の小路が外国人に埋め尽くされる。

その外国人相手の店も増えた。若い主が経営する店も増えた。別に悪いことではない。街も一種の生き物だから、時代や社会の変化に伴って変わっていく。ゴールデン街嫌いを自称する若い編集者は最近、「あそこって、業界関係者が互いの傷を舐めあってた街じゃないですか」と私に言った。あながち間違ってもいないな、と思う。ただ、一抹の寂しさも覚える。メディアから無頼と反逆の気風が薄れ、妙にお行儀よくなってしまった昨今の風潮とゴールデン街の変化が重なって見えなくもない。

と書いている私も、街に足を運ぶ回数は減った。常連の店もいまはせいぜい3、4軒ほど。それでも週に一度か二度は決まってカウンターに座る。それがどこか自分の立ち位置を確認する作業にも感じている。そういえば、この街を最初に連れまわしてくれたのは『噂の眞相』編集長の岡留安則さんだった。「バーは人と人が出会う『場』だ」と言って毎夜飲み歩いていた岡留さんも2004年に雑誌を休刊し、沖縄で悠々自適の引退生活を送っていたが、現在は病気療養のため入院中。やはり時代は移ろっている。

2017年11月26日　差別と卑怯

仕事上の必要性に加え、個人的な想いもあって沖縄の新聞2紙にはできるだけ目を通すようにしているが、先日の沖縄タイムス記事には胸をえぐられた。

11月6日付の朝刊、全国紙なら毎日新聞の「余録」や朝日新聞の「天声人語」にあたる1面の「大弦小弦」、筆者は阿部岳記者である。ネット版にも掲載されているが、ぜひ多くの方に読んでいただきたいので、以下、ほぼ全文を引用する。

〈作家の百田尚樹氏から「悪魔に魂を売った記者」という異名をいただいた。出世のために初心を捨て、偏った記事を書いているからだという。数百人の聴衆がどっと沸き、私も笑ってしまった▼先月末に名護市で開かれた講演会。事前に申し込んで取材に行くと、最前列中央の席に案内された。壇上でマイクを握った百田氏は、最初から最後まで私を名指しして嘲笑を向けてきた▼特異な状況だからこそ、普通に取材する。そう決めたが、一度メモを取る手が止まった。「中国が琉球を乗っ取ったら、阿部さんの娘さんは中国人の慰み者になります」▼逆らう連中は痛い目に遭えばいい。ただし自分は高みの見物、手を汚すのは他者、という態度。あえて尊厳を傷つける言葉を探す人間性。そして沖縄を簡単に切り捨てる思考▼百田氏は２０１５年に問題になった自民党本部の講演でも「沖縄のどこかの島が中国に取られれば目を覚ますはずだ」と話している。県民は実際に沖縄戦で本土を守る時間稼ぎの道具として使われ、４人に１人が犠牲になった。歴史に向き合えば本土の側から口にできる言葉ではない……〉

私は本コラムで、仮に誰かを批判する場合でも、差別や妄想を吐き散らす者の名は、可能な限り記さないよう心がけてきた。それは別に手心をくわえようという意図ではなく、本コラムに与えられた貴重な誌面を、そのような者の名を記すことで汚したくないと考えてきたからである。

だが、今回は引用だからやむを得ない。そして思う。人はどこまで恥知らずになれるのか。この流行作家は、どのような神経で薄汚い差別的妄想を吐き出せるのか。

阿部記者も書いているが、沖縄はかつての大戦の末期、本土の〝捨て石〟として凄惨な地上戦を強いられた。戦後は米軍統治下に置かれ、復帰後は過重な米軍基地を押しつけられた。いまも国土面積0・6％の沖縄に74％もの米軍基地が集中している――などとあらためて記すまでもあるまい。

私も押しつけている側にいる。その沖縄が、さらなる基地負担の押しつけに必死で抗っている。沖縄の新聞は、その声を懸命に代弁している。なのに流行作家が軽薄に吐き出す妄想と差別。私ですら身体の奥底から弾け出そうな怒りを覚えるのだから、阿部記者の憤りはいかばかりだったか。記事はこう結ばれている。

〈差別と卑怯は続く。百田氏はなおも「反対派の中核は中国の工作員」などとデマを並べ、沖縄への米軍基地集中を正当化する。「沖縄大好き」というリップサービスがむなしい〉

2017年12月24日　原寿雄さん

原寿雄（としお）さんが逝った。メディアやジャーナリズムの仕事に関わっていれば、共同通信で編集主幹などを歴任した原さんの名を知らぬ者はおそらくいない。

戦後間もない1957年、社会部記者だった原さんたちの取材チームは、公安警察による自作自演の爆破工作という権力犯罪を見事に暴いた。いわゆる「菅生（すごう）事件」である。共産党の仕業と見せかけて大分県の駐在所を爆破した市木春秋なる男が、実は戸高公徳という警察官だったことを突き止めた原さんたちは、東京・新宿で戸高を見つけ出すと事件の全貌を明るみに出した。戦後ジャーナリズム史に残る仕事だった。

社会部デスクだった60年代には、小和田次郎という筆名で『デスク日記』を書いた。日々ニュースを発信するマスメディアの内部で何が起き、どんな問題が渦巻いているのかをつぶさに描いた幾冊かの『日記』は、記者を目指す者なら誰もが読むべき必読書だった。80年代に学生生活を送った私だって例外ではなかった。

私が共同通信に入った90年、原さんはすでに現場を離れ、関連会社の社長を務めていた。しかし現場との交わりに意欲旺盛で、突然私に「新入社員の諸君と飲みたい」と連絡がきた。確か社員寮か何かに集まり、車座になって深夜まで酒を飲んだ。

その際に原さんから聞いた話はいまもよく覚えている。いや、ひょっとすると他の人の話も混じってしまっているかもしれないが、私の中では「原さんの言葉」として記憶されている。

おおむね、次のような内容だった。

君たちは今後、名刺一枚で誰にでも会える。だから積極的に誰にでも会え。ただ、現実には一介の会社員にすぎないのだから、勘違いはするな。傲るな。

一方で君たちは、単なる会社員じゃない。君たちが入ったのはジャーナリズムの仕事を担う特殊な会社であり、場合によっては会社が潰れる事態になっても歯を食いしばって耐えねばならない時がある。そういう会社に入ったことは覚悟しておけ。

こんな話を聞かされ、ずいぶん青臭いけれど、真っ当なことを言う人だと思った。もちろん現実の組織はもっと薄汚れていて、会社幹部としての原さんにも批判はあったが、晩年も真っ当なジャーナリズム論を説きつづけた原さんに私は、この仕事をするうえでの根幹の部分で確かに影響を受けた。

その原さんの訃報が載った12月7日付の新聞各紙は、ＮＨＫ受信料を「合憲」とする最高裁判決のニュースを大々的に報じた。判決そのものへの疑義はともかく、最高裁は受信料制度について「国家機関などから独立した表現の自由を支えている」と指摘したという。

逆に言うなら、ＮＨＫの姿勢が政府などから真に独立したジャーナリズム組織たり得ているかが問われることになる。だが、原さんのように青臭いジャーナリズム論を新入社員に吐く幹部がいまのＮＨＫにいるのだろうか。ふとそんなことを想う。

2017年12月31日　不公平

森友学園の理事長だった籠池泰典氏と妻の諄子氏は、いまも大阪拘置所に勾留されている。大阪地検特捜部が夫妻を詐欺容疑で逮捕したのは7月31日だったから、勾留生活は間もなく5カ月に達する計算となる。しかも夫妻には接見禁止処分がつけられたままで、家族とも面会できず、手紙のやりとりすら弁護人を通じないと不可能な状態だという。

言うまでもなく、詐欺容疑で逮捕・起訴されたとはいえ、夫妻は無罪推定下にある未決の刑事被告人である。先進民主主義国の刑事司法を眺めれば、このような長期勾留はおよそあり得ない。だが、「人質司法」などと揶揄される悪弊が残る日本の刑事司法では、特に珍しいことでもない。

日本の刑事訴訟法だって起訴後の保釈を一応は「原則」とうたっている。ただ、捕われた者が容疑を否認すると検察は「証拠隠滅のおそれ」や「逃亡のおそれ」などを理由に抵抗し、裁判所も安易にこれを認めてしまう。時には保釈を餌に自白を迫り、冤罪の温床とも指摘されてきた。裁判員裁判制度がはじまり、多少は保釈が認められやすくなったと言われるが、悪弊はなかなかあらたまる気配がない。

考えてみれば、籠池夫妻の事件でも検察はすでに証拠を押収し、関係者の聴取も終えている。有罪に足る証拠があると判断したから起訴に踏み切ったはずであり、いまさら隠滅する証拠があるとは思えず、メディア注視の夫妻が逃亡するとも考えにくい。

それでも検察と裁判所は許さない。報道によれば、弁護人の保釈請求はやはり退けられてしまっているというから、勾留はさらに長引き、夫妻はクサい飯を食いつつ新年を迎えることになるだろう。

以下は私の妄想である。夫妻が延々と独房に叩き込まれ、外部への意思発信の手段すら封じられていることで、最も得をしているのはいったい誰だろうか。間違いなく現政権と首相であろう。会計検査院の報告などで国有地売却の適正性が根本から揺らぎ、ようやく国会も開かれて森友学園問題へのメディアの関心が再び高まる中、籠池氏が例の調子で情報発信に勤しめば人びとの注目を集めるのは必定。特にテレビのワイドショーなどには格好のネタとなる。

それを防いでくれる検察や裁判所、あるいは「人質司法」の悪弊は、政権と首相にとってはもっけの幸い。ひょっとすると検察や裁判所が〝忖度〟をしているのではないかと疑いたくもなる。

さらに皮肉を込めて言えば、森友学園問題をめぐって真に〝証拠隠滅〟を謀ったのは誰だったか。国有地売却の経緯に関わる文書を廃棄してしまったと公言し、会計検査院に「検証が十分に行えない状況になっていた」とまで指摘された財務省、近畿財務局などではなかったか。

なのに証拠隠滅のおそれなき者が延々勾留され、一方は何の責任も問われぬばかりか、当事者は徴税権力のトップに就いた。この国はぞっとするほどに不公平である。

2018年1月28日　沖縄の異常と日常

ある仕事の都合で年明けの数日、昨年の沖縄２紙を集中的に読み返した。当然のことではあるが、米軍基地関連の記事が紙面にあふれかえっていた。なかでも昨年に特異だったのは、米軍機の墜落や不時着、部品の落下事故などが頻発した点であろう。

２０１６年の12月13日には、名護市の海岸に米海兵隊の大型輸送機オスプレイが墜落した。米軍は「不時着」なのだと言い張り、日本政府や多くのメディアも追随したが、無残に大破した機体の残骸を見れば、どう考えても墜落だった。事実、沖縄紙は早くから「墜落」と見出しをとった。

２０１７年10月11日には、ＣＨ－53Ｅ大型輸送ヘリが東村高江に不時着し、大炎上した。現場は民間の牧草地で、民家から２００メートルしか離れていなかった。同12月７日には宜野湾（ぎのわん）市の保育園に米軍機のものとみられる部品が落下し、直後の13日には宜野湾市の普天間第二小学校にＣＨ－53Ｅヘリの窓が落下した。

幸いに死傷者は出なかったが、一歩間違えば大惨事に発展しかねない。だというのに、いずれも数日後には同型機の飛行が再開され、日本政府は米側にさして強い抗議の意志を示さない。沖縄紙に怒りと不安の声が横溢（おういつ）するのも至極当然、これほど異常事態が相次いでいるのだから――と思ったが、それは私の浅慮だったようである。

CH-53Eヘリが炎上事故を起こした直後の10月13日、沖縄2紙のうち琉球新報の朝刊には、松永勝利・編集局次長の評論記事が掲載された。そこで松永氏は〈こうした事故現場を何度見てきただろうか〉と嘆息しつつ、次のようにも記している。

〈72年の施政権返還以降、米軍機の墜落事故は（略）48件発生している。沖縄では1年に1回以上、米軍機が空から降ってきたことになる〉

そう、米軍機の墜落は別に異常事態ではない。沖縄では異常が日常になっている。それを「またか」と慨嘆しつつ、沖縄紙は地元の憤りと不安を懸命に代弁している。

その沖縄2紙に対し、本土の流行作家が「潰さなあかん」と言い放ったのは数年前のことだが、同じ流行作家は2017年、講演で沖縄タイムスの記者を名指しし、「娘が中国人の慰み者になる」などという二重の意味でのヘイト言辞を投げつけた。

同じく昨年には、東京MXテレビが虚偽と偏見に満ちた番組で沖縄を侮蔑した。BPO（放送倫理・番組向上機構）の放送倫理検証委員会も「重大な放送倫理違反があった」と断ずるほどだったが、当事者たちはさほどの痛痒（つうよう）も感じていないようである。

昨年末、わけあって断りきれず、この番組で司会を務めた新聞記者と討論番組で同席した。私が見るところ、この記者に反省の気配は微塵もなかった。つまり、本土でも異常が日常と化している。しかも、メディアという私たちのフィールド上で。

第8章

「情報隠蔽国家」に立ち向かえ

――保阪正康氏との対話

1

このところ、さまざまな政治的・社会的事象の取材をしていると常に突き当たり、考察を余儀なくされてしまうテーマがあった。ひとことでいえば「国家の記録」について、ということになるだろうか。本書に収録した幾編かのルポルタージュやコラムはもともと『サンデー毎日』誌上で発表したものだが、いずれもそうした問題意識は通底していて、たとえば現役自衛官・大貫修平のケースは典型例というべきものだった。

機密文書の「漏洩犯」だと目をつけられ、警務隊による強制捜査まで受けた大貫は、その後も防衛省に勤務しつつ無実を訴え、国家賠償請求訴訟まで争っている。しかし実に奇妙なのは、問題の文書を首相も防衛省も「存在しない」と公言した点であった。しかも大貫によれば、防衛省・自衛隊は内部で密かに当該文書の隠蔽・破棄工作を繰り広げていた。

なぜこれほど滑稽な矛盾が生じたのか。大貫の告白などから垣間見えてきたのは、政権や官僚たちにとって不都合な文書――すなわち、本来は大切な「国家の記録」であっても、自らに都合が悪ければ平然とねじ曲げ、隠蔽し、時に放り捨ててしまって恥じない為政者たちの実態であった。

防衛省・自衛隊ではまた、南スーダンPKO派遣部隊の日報をめぐる一件もあった。情報公開請求を拒み、のちに日報の存在が発覚すると、実は防衛相まで隠蔽に加担していたのではないかと政治問題化し、多数の幹部が処分される事態に発展した。

これも何度か記してきたように、森友学園や加計学園をめぐる疑惑にもまったく同じようなところがある。国民の共有財産である国有地が異常な安値で払い下げられてしまった経緯を記した文書類を、財務省はすでに破棄してしまったと平気で開き直った。加計学園の獣医学部新設をめぐっては、「総理のご意向」などと記された文部科学省の文書が流出したものの、政権幹部は「怪文書の類い」と強弁し、のちに文科省内で存在が確認されても「事実ではない」と、これまた開き直った。一方で内閣府などに残されているはずの文書や記録類は、ほとんど公開しようとすらしていない。

「国家の記録」と向き合わず、当然のようにそれをねじ曲げ、時に破棄し、そもそも記録をきちんと残そうとすらしない為政者たち。こうした悪しき風潮は、いったいいつからのものなのか。ひょっとすると、この国の為政者や官僚機構の中に生来埋め込まれたＤＮＡ＝遺伝子のようなものになってしまっているのではないか。

そんな問題意識に憑かれた私は、同じノンフィクション作品の書き手としては大先輩であり、まさに「国家の記録」に基づく作品を数々著してきた保阪正康のもとを訪ね、こうした悪習の病原と弊害、そして打開策などを議論をしてみたいと思った。

2

「青木さんの問題意識をうかがって、すぐに思い出したのは1945（昭和20）年8月14日のことです。この日の閣議と大本営の方針決定によって、戦争にかんする一切の文書や資料の焼却が命じられ、軍事機構や行政機構の末端に至るまでそれは伝わりました。これを受けて、全国の市町村や軍事施設では膨大な資料が次々に燃やされてしまったんです」

——当時の役所などでは、あちこちからもくもくと煙が上がっていたそうですね。

「ええ。アメリカ軍がそれを見て、『俺たちは爆撃していないのに、なんであんなに煙が出てるんだ』って不思議がっていたという話が残っているぐらいです。『焼却せよ』と命じた文書すら残したくないので、末端では役場の職員が、村から村へと自転車で伝えてまわったと」

——すべては戦争責任の追及をおそれて、ということですか。

「そのとおりです。『天皇陛下にご迷惑をかけないため』などというのはまったくの逃げ口上で、実際は我が身が可愛いだけの保身です。焼却以外にも、資料の改竄が行われました。たとえば天皇の財産を少なく見せるため、せっせと資料の改竄を行ったんです。国民のことなんて、これっぽっちも考えていない。これとまったく対照的なのはアメリカでした」

――というと？

「当時のアメリカは、最終的には8000人ぐらいの規模になる『戦略爆撃調査団』を日本に送り込みました。地方の村々などにまで入って調査し、燃やしきれなかった日本の文書なども各地で見つけ出し、ものすごい報告書をつくったんです。それは納税者に対する義務でもありました。増税までして戦争を行った以上、きちんと調べて納税者に報告しなければならない。そういう意味ではアメリカのほうがはるかに筋が通っているんですね」

――戦争という極限状況下でも、民主主義の建前と原則というか、もっと卑俗な言い方をすれば、国家として国民に対して果たすべき責任感とか義務感のようなものが、辛うじて生き残っているか否かの違い、ということでしょうね。

「そうなんです。われわれの側は国民に報告するどころか、そのもととなる記録が刻まれた公文書や資料を全部燃やしてしまった。そういえば何年か前、いわゆる慰安婦問題をめぐる意見広告がワシントン・ポスト紙に掲載されたことがありましたね」

――第1次安倍政権下の2007年6月、ジャーナリストの櫻井よしこ氏や与野党の国会議員らが連名で出した意見広告ですね。〈事実〉と題した意見広告は〈強制的に慰安婦にされたことを示す文書は見つかっていない〉などと訴える内容でした。逆にこれがアメリカ国内での反発を買い、間もなくアメリカ議会下院が慰安婦問題で日本政府に謝罪を求める決議を採択する結果になってしまいましたが。

「ええ。それにしても僕は、よく『文書がない』なんていうことを言えるな、と心から思うんです。だって、記録や資料といったものを全部燃やしてしまったんですよ。それはわれわれの側の問題であって、天に唾するような行為です。なのに、『強制的に慰安婦にされたことを示す文書はない』などと平気で言い張れる神経を、僕は疑います」

3

戦後70年が過ぎても日韓両国の火種としてくすぶりつづける慰安婦問題にせよ、あるいは南京虐殺事件などにせよ、規模や態様などをめぐっていまなお異論や異見が喧しく、かつての戦争下での非道行為をめぐる隣国同士の葛藤が解きほぐされる気配はない。果ては歴史的事実そのものを否定するかのような議論までがこの国では平然と飛び交っている。では、日本側が戦中の文書や記録、資料類を焼却などせず、きちんと残していたらどうだったろうかとも想像する。たとえば慰安婦問題にせよ、南京虐殺事件にせよ、いずれも歴史的な事実であって否定することなどできはしないが、規模や態様などについては日本側の主張を裏づけた可能性もある。少なくとも事実はもっと精緻に検証され、ひょっとすれば現在のような隣国との葛藤の火種にはなっていなかったかもしれない。

そんなことを考えるにつけ、私がつねづね不思議だと感じてきたことがある。保守と呼ぶにせよ、右派と呼ぶにせよ、国家の存在や歴史を〝誇り〟などと捉える人びとこそがむしろ、その礎となる「国家の記録」を大切に扱い、公的な文書や記録、資料といったものをきちんと作成し、保存・管理し、後世に伝えていこうと強く主張してしかるべきではないか、と。

しかし、現状はまったく異なる。公文書類の重要性などは、むしろリベラルなどと称される人びとがそれを熱心に訴え、保守を自認しているはずの政権は公文書の隠蔽や廃棄に突き進んで恥じるところがない。政権を熱心に支持する保守や右派層からも、批判や疑問の声などはほとんど上がらない。

ふたたび保阪との対話である。

「右とか左といった問題もさることながら、公文書や記録、資料といったものは、物事を客観的に見ようとする人たちにとっては基本的な判断材料であって、とても大切なものです。一方、客観的に物事を見ることができない人たちは記録や資料など必要ではない。自分たちの主張が崩れてしまうような記録や資料なら、むしろ存在しないほうがいい。そんな右派が近ごろは多すぎます」

――ええ。歴史修正主義的なムードが強まる中、確かにそういう連中は増えています。

「僕は以前、鹿児島の知覧(ちらん)から飛び立った特攻機の無線を聞いていた元海軍士官の日記を見せてもらったことがあります。その元士官が戦時中、個人的につけて保管していたものです。そこには〈今日もまた、「海軍のバカヤロー」と言って散華するものあり〉などと記されていた。元士官に『これだけじゃないでしょう?』と聞いてみると、特攻機からの最後の言葉は『お母さん!』とか、交際していた女性の名が多かったということでした」

――現実はそうだったのでしょうね。

「だから僕は、みんなが勇猛果敢に死んだというのは違うと書いた。すると、どんな反応が来たと思いますか。『当時の海軍の無線は本土から沖縄まで届かない。だから保阪の言っていることはウソだ』って、そんなことを言い出す者がいた。こういうのを一知半解と言うんです」

――実際はどうなのですか。

「特攻機は、沖縄どころか鹿児島湾で墜落してしまったり、沖縄に着く前にアメリカ軍に撃ち落とされてしまったりしている。そういう事実も知らず、一知半解で物事を語るのが歴史修正主義者の特徴です」

――極論すれば、歴史修正主義者にとっては資料や記録など不要で、むしろ邪魔だと。

「ええ。たとえば最初に『日本は侵略なんてしていない』という旗を立て、それに都合のいい材料をかき集めて論をつくり、検証もしない。客観的に物事を見ない人たちは資料を馬鹿にします。そうした風潮が広がっているのは、実に怖い」

過去の歴史などの事実を客観的に見ようとする者たちにとっては何より必要なはずの「国家の記録」。しかし、そうでない者たちにとっては必要なく、むしろ邪魔なものとして疎まれてしまう——保阪の指摘に私も深くうなずいた。そうした眼で昨今の日本の政界や社会、マスメディアなどを眺めれば、事実を軽んじて客観的に見ようとしない歴史修正主義の風潮は確かに強まっている。実に怖いことだと私も思う。

4

ただ、物事を客観的に見つめようとする姿勢のある為政者が自民党の宰相の中にもいないわけではなかった。公文書の重要性を訴え、２００９年に成立した公文書管理法の整備をリードした福田康夫などはその代表格であろう。保阪も「彼は実証主義的な方ですね」と評価する福田がリードした公文書管理法は、第１条でその「目的」を次のようにうたいあげている。

〈この法律は、国の諸活動や歴史的事実の記録である公文書等が、健全な民主主義の根幹を支える国民共有の知的資源として、主権者である国民が主体的に利用し得るものであることにかんがみ、国民主権の理念にのっとり、行政文書等の適正な管理、歴史公文書等の適切な保存及び利用等を図り、もって行政が適正かつ効率的に運営されるようにするとともに、国の諸活動を現在及び将来の国民に説明する責務が全うされるようにすることを目的とする〉（抜粋）

いかにも法律の条文らしく、決して美文とはいえない。ただ、とても崇高な条文だと私は思う。しかし安倍政権からは、こうした崇高さが微塵も感じられない。森友、加計学園の疑惑しかり、南スーダンPKO日報もしかり、最近でいえば、天皇の退位をめぐる皇室会議の議事録などはひどいありさまだった。

天皇退位の日程などを決める皇室会議は２０１７年12月１日、皇族や三権の長ら10人の議員が出席し、宮内庁の特別会議室で開かれた。約１時間15分だったという会議は非公開だが、皇室典範に規定された皇室会議の開催は約25年ぶりであり、戦後の歴史を振り返ってもわずか8回しか例がない。

しかも天皇の生前退位は２００年ぶりの出来事だという。ならばいったいどのような議論を経て退位に至ったのか、退位そのものへの異論や異見はなかったのか、退位の日程などはたしてどう決まったのか、天皇制そのものや生前退位への評価はともかく、重大な歴史的出来事であるのは間違いなく、その経緯や議論の中身を精緻に記録し、必要に応じて公表し、後世に伝えていくべきなのは議論の余地があるまい。

会議に陪席した官房長官の発表によれば、会議では10人のメンバー全員がなんらかの意見を発言したという。だというのに、公表された〈議事概要〉は次の一文がすべてだった。

〈天皇陛下には1月7日の御在位満30年の節目をお迎えいただきたいこと、国民生活への影響等を考慮すること、静かな環境の中で国民が天皇陛下の御退位と皇太子殿下の御即位をこぞって寿ぐにふさわしい日とすることなどの意見の表明が行われた〉

わずか百余字の〈議事概要〉。報じられているところによれば、政府はこれ以外に発言録などを作成しておらず、詳細な議事録を残すつもりもないという。天皇制と天皇退位の問題にこだわり、思索をつづけてきた保阪の憤りと絶望は深いようだった。

「歴史への誠実さの欠如です。僕自身は、今上天皇は国民に重要な問題提起をしていると思うけれど、天皇制についてはさまざまな議論がある。それを含めて記録を残すのは、歴史的責任にかんするイロハのイです。なのに、後世の人びとが知りたいと思った時に歴史的資料がない。これは後世の人びとを馬鹿にし、同時代のわれわれを愚弄することになります。それに対する自省や反省がこれっぽっちもない」

――安倍政権は、建前としては天皇と皇室の存在を重んじているはずなのですが、なぜこうした態度を取るのだとお考えですか。

「憲法問題が前面に出てきてしまうからでしょう。改憲論者の彼らは、改憲の中で天皇をどう位置づけるかという問題をまだきちんと整理できていない。だから記録を残したくない、記録を残さないことによってフリーハンドを保持する、という選択をしたんじゃないでしょうか」

5

天皇の生前退位という〝歴史的一大事〟でも政権の利害や都合を優先し、公文書管理法がいう「国民共有の知的資源」としての情報を、さらには「国家の記録」を後世に残そうとしない為政者の態度は、政治的立ち位置の左右などを問わず、本来は徹底して問題視するべきだと私は思う。だが、振り返ってみればこうした風潮はいまにはじまった話ではなく、保阪との対話を通じて見えてきたように、戦前・戦中から現在に至るまで一貫して変わらぬこの国の宿痾に思える。

私はあまり好きな言葉ではないが、ならばこれは「国民性」、あるいは「民族性」のようなものではないのか、といった似非科学的な妄想にも囚われてしまう。最後に保阪に尋ねると、こんな答えが返ってきた。

「官僚制度の典型的な悪弊でしょう。それはつまり、政権とそれを支える官僚以外の人間の権利などは踏みにじられ、馬鹿にされていることになるわけです。まるで江戸時代の農民のような状況に置かれ、『由(よ)らしむべし、知らしむべからず』という状況で愚弄されている。要はナメられてるんですよ。そういう意味でいえば、前川さんのような人がもっと出てきてほしいと思います」

——前川さんというと、文科省の事務次官だった前川喜平さんのことですか。

「そうです。彼の覚悟は並大抵のものではなかったでしょう。政権やその意向を忖度する連中が必死に潰そうとしたし、これからも潰そうとするかもしれませんが、彼は官僚制の悪弊を打ち破り、『あるものはあるのだ』と声をあげてくれた。その市民感覚を私たちは有形無形に支援できるかどうか、ということです。前川氏のような人をたくさん生み出すために、生み出す状況をつくっていかなくてはならない」

——同感です。

「かつてわれわれは、軍国主義に抵抗した斎藤隆夫を国会から除名してしまった愚かな歴史がありますね」

——ええ。1912（明治45）年以来、衆院議員当選13回を数えた斎藤は、2・26事件の後に粛軍演説で軍部を批判し、日中戦争の処理方針を批判した1940（昭和15）年のいわゆる反軍演説では衆院議員を除名されてしまいました。

「そう。斎藤は当時、〝異端〟として孤立させられましたが、いまから見て本当の歴史意識を持っていたのは彼のほうなわけです。それを教訓とできるか、と私たちは問うべきです。それが一貫して続く官僚制度の悪弊を打ち破り、歴史修正主義の横行を食い止める第一歩だと思います」

保阪の言葉に、私は深く同意する。たとえ〝異端〟と罵られようと、異常な現状に真っ向から対峙し、立ちあがる者をいかに多く生み出し、これを支えていけるか。それがいまほど問われている時はない。

第9章

瓦礫に積む言葉

2018年3月25日　これが人間か

イタリアの作家プリーモ・レーヴィ（1919～87）は代表作『これが人間か』（邦訳は現在、朝日新聞出版から刊行）を、冒頭でこう書きおこしている。

〈個人にせよ、集団にせよ、多くの人が、多少なりとも意識的に、「外国人はすべて敵だ」と思いこんでしまう場合がある。この種の思いこみは、大体心の底に潜在的な伝染病としてひそんでいる。もちろんこれは理性的な考えではないから、突発的でちぐはぐな行動にしか現われない。だがいったんこの思いこみが姿を現わし、今まで陰に隠れていた独断が三段論法の大前提になり、外国人はすべて殺さねばならないという結論が導き出されると、その行きつく先にはラーゲルが姿を現わす。つまりこのラーゲルとは、ある世界観の論理的展開の帰結なのだ。だからその世界観が生き残る限り、帰結としてのラーゲルは、私たちをおびやかし続ける〉（竹山博英訳、以下同）

そのうえでレーヴィは、自身が体験したラーゲル――つまりはアウシュビッツ強制収容所における抑留体験を、これでもかというほどつまびらかに書き遺（のこ）した。そうして編まれた『これが人間か』は、いうまでもなくナチス・ドイツ政権下における強制収容所の実態をつづった古典ともいえる名作である。と同時に、人びとの「心の底」に「潜在的な伝染病」としてひそむ反理性的な「思いこみ」がいかに危険か、その「論理的展開の帰結」がいかに人間から人間性を奪い去ってしまうか、絶望的なほど深く考察させる記録文学でもある。

当初は1947年に刊行され、さほど注目されなかったが、間もなく世界的な関心を集め、73年には若者向けの『学生版』も刊行された。そこに掲げた「若者たちに」という序文でレーヴィはこうも書く。

〈あれから四半世紀を経た今日、私たちは周囲を見回してみるが、安心するのは早すぎたのではないか、という危惧を抱いてしまう。（略）ブレヒトもこう書いている。「この怪物を生み出した子宮はいまだ健在である」と。（略）新しい読者のうち、たとえただ一人でも、狂信的国家主義と理性の放棄から始まった道がどれだけ危険か、理解してくれるなら、さいわいである〉

それからさらに半世紀の時がすぎ、あらためてレーヴィの作品を読みかえすと、「安心するのは早すぎた」どころか、危険な「伝染病」がまたも世界中に広がりはじめていないかと慄然（りつぜん）とさせられる。考えてみればレーヴィのいう「潜在的な伝染病」は、人間の奥深くに埋め込まれた獣性のようなものであり、根治など不可能なのだろう。だから常にパンデミック=爆発的感染が起きぬよう警戒しつづけるしかない。

その点では日本も例外ではない。隣国やマイノリティーを敵視、罵倒する言説が公然と唱えられ、類似の本や記事が書店にあふれる昨今、そうした言説を歓迎する者たちが政権を熱烈に支持し、政権の側もそれを煽(あお)っている。レーヴィが警告した「狂信的国家主義」や「理性の放棄」の萌芽(ほうが)は、いま眼前に横たわっている。

2018年7月15日　権力の無自覚

運輸相や自民党幹事長などを歴任した古賀誠氏に先日、じっくりと話を訊(き)いた。スタジオジブリが発行する雑誌『熱風』で連載しているインタビューの一環であり、詳細は6月号の同誌に譲るが、権力者のあるべき振る舞いについての話は考えさせられた。

古賀氏は現政権のありようを辛辣(しんらつ)に批判しつつ、その大きな問題点として「権力者が権力をフルに使う風潮」と「権力の怖さへの自覚の欠如」をあげた。

前者についてはあらためて指摘するまでもない。戦後の歴代政権が積みあげた憲法解釈すら一内閣の閣議決定で覆し、国会や世論に強い反発があっても蹴散らし、数々の問題法案を強引に成立させてきた。

また、歴代内閣が自制してきた横紙破りの人事にも平然と手を染めた。自らの意に沿う「お友だち」を内閣法制局長官、日銀総裁、ＮＨＫ会長などに送り込んだのは典型例。憲法遵守義務を最も課される首相が公然と改憲を主張するのも「危険だ」と苦言を呈し、古賀氏は言った。

「権力者は権力の刃をむやみに振り回してはならない。注意深く鞘の中に収めておかねばならない。そのことは権力者が一番考えるべきことなんです」

しかし、現首相にその認識は薄い。だから……と言って古賀氏が続けて言挙げしたのは首相とメディア経営者の会食だった。

「メディアの社長と一緒に食事をするなんて、僕らが現職時代にお仕えした総理にはほとんどなかったことですよ。どうしても必要なときには密かにやっていたのかもしれませんが、少なくともこれほど堂々と会食することはなかった。池田勇人さんなんて、夜の会食自体をやりませんでした」

首相とメディア経営者の会食については、メディア側の無自覚も指摘せねば公平性を欠く。権力の監視を任とするメディアのトップが最高権力者と会食すれば、メディアへの信頼は揺らぎ、メディア内にも政権への忖度ムードが生じる。そのことへのメディア側の無自覚は徹底して詰めるべきだが、古賀氏は、権力者の振る舞いが周囲にどのような影響を与えるか、そのことへの首相の無自覚が目にあまると強く問題視した。首相にはその自覚と注意深さが決定的に欠如している――と。

「森友学園もそうですが、加計学園だって同じでしょう。みんなお友だちですよ。本来は、そういう人たちとどう距離を置くかというのが肝心なんです」

だが、首相はそうしたことにまったく思いが至らないらしい。6月27日の党首討論。加計学園や森友学園問題、財務省の公文書改竄への責任を問われ、首相は次のような弁明を繰り返した。

「私自身が指示したわけではない」「私はあずかり知らない」「私自身が改竄したわけではない」

古賀氏の指摘を私なりに敷衍すれば、現政権は強権的というより、やはり権力者としてどこまでも無自覚で幼稚な点に最も本質的な問題があるらしい。

2018年12月9日　愛国者

「愛国心は、卑怯者、ならず者の最後の逃げ場である」とは、18世紀英国の文学者サミュエル・ジョンソンによるあまりに有名なアフォリズム（警句）である。似たようなアフォリズムは多くて、物理学者のアインシュタインは「ナショナリズムは小児病、国家の麻疹のようなものだ」と語ったらしい。

森友学園問題の登場人物や、歴史ある月刊誌を廃刊に追い込んだ駄文の筆者たちの顔を思い浮かべれば、いかにもその通りだと激しく頷く。だが、実際にヘイト言説を吐き散らす連中の実像を追っているノンフィクションライターの安田浩一は、サミュエル・ジョンソンのアフォリズムに首をひねり、このように指摘したという。

「在特会を見ている限りにおいて、愛国心とは寂しき者たちの拠り所ではないのか」（講談社BOOK倶楽部のサイトより）

これもなるほど、と頷く。だが、こうした劣情が真に厄介なのは、差別や憎悪を拡散させるにとどまらず、社会を破滅の底へと導きかねないところにある。

「愛国心は戦争を生む卵」と言ったのはフランスの作家モーパッサン。「人類から愛国心を叩き出してしまわぬ限り、諸君は永遠に平和な世界を持ち得ない」と言ったのはアイルランドの劇作家バーナード・ショー。日本でも勝海舟がこう語ったらしい。「憂国の士という連中がいて、彼らが国を滅ぼす」と。

確かにこれは歴史が証明している。為政者の側からそれを見事に告白したのは、ナチスドイツ高官ゲーリングの有名な証言だろう。

「ふつう国民は戦争を望まない。それはどの国でも同じだ。だが、指導者が戦争を起こすのは容易い。国民には『我が国が他からの攻撃にさらされている』と言い、戦争反対の平和主義者を『非国民』と非難する。これだけだ。このやり方は、どのような体制の国でも有効だ」

だから、いかにしんどくとも、いかに批判を浴びても、劣情の蔓延には抗い続けねばならない。特にメディアに関わるものにとっては最大の責務でもある。

一方で現代英国を代表する作家ジュリアン・バーンズはこう言ったらしい。「最も偉大な愛国心とは、あなたの国が不名誉で、愚かで、悪辣な行動をとっている時、それを言ってやることだ」

日本でも、先の大戦中に「関東防空大演習を嗤ふ」といった論説で軍部や在郷軍人らの反発を買い、信濃毎日新聞の主筆を追われた桐生悠々はこんな言葉を残している。「私は言いたいことを言っているのではない。真正なる愛国者の一人として、言わねばならぬことを言っているのだ」

最後にもう一つ、先の大戦の経験者の中には、こんな言葉を遺した人もいる。「偽りを述べる者が愛国者と讃えられ、真実を語る者が売国奴と罵られた世の中を、私は経験してきた」

ほかでもない、昭和天皇の末弟である故・三笠宮崇仁親王の言葉である。

2019年1月13日　抵抗の遺産

1945年8月の敗戦時、この国は大量の公文書を燃やしつくした。閣議や大本営の意向がさまざまな指揮系統を通じて行政機構の末端にまで伝えられ、全国の市町村や行政機関では大量の文書が焼却され、黒煙が空を焦がした。すでに爆撃など行われていないのに、あちこちから煙が立ちのぼる様に、米軍も何事かといぶかしんだらしい。

　なぜこのような所業に及んだのか、理由は記すまでもない。少し前に保阪正康さんと対談した際、その理由を保阪さんが端的に断じていた。戦犯追及を恐れた保身だ、と。「天皇陛下にご迷惑をかけないため、などというのは逃げ口上で、実際は我が身が可愛いだけの保身です」

　保身によって歴史の記録を焼却したこの国の為政者たち。そうした心性は、当時の延長線上にある現在もさほど変わっていない。財務省では公文書が改竄され、他の役所でも隠蔽、破棄が横行し、近代で初となる天皇の生前退位に伴う皇室会議の議事録などは文書化すらされなかったという。これらもまた、「1強」政権の意向を忖度した官僚らの「保身」の臭いがぷんぷんと漂う。

　ただ、敗戦時に貴重な資料を燃やしたのは軍や官公庁にとどまらず、メディアも同様だった。公益財団法人新聞通信調査会の直近の会報に掲載された記事を読み、あらためてそのことを考えさせられた。

　記事の筆者は共同通信写真部ＯＢの沼田清さん。ある経緯があって共同の前身である同盟通信の写真部関係者を訪ね歩き、敗戦時に大量の写真を焼却した当事者の証言に触れたという。そのうち同盟写真部に籍を置いた渡辺靖さんはこう語っている。

「私は当時22歳で、写真部の電送担当をしていた。業務が暇なとき、手伝えと言われて地下の写真部から地上に出た。公園南東角の公衆便所前に掘られた壕(ごう)の中に投げ込まれた写真、フィルムは既に燃えて、ガラス乾板も割れてぐじゃぐじゃに。それを長い棒でかき回した」

当時の同盟は日比谷公園に面する市政会館に本社を置いていた。その公園の一角に穴を掘って貴重な写真を燃やした理由について、当時の同盟写真部長だった故・中田義次さんは生前、日本写真家協会の座談会などで「陸軍に写真を処分するよう言い渡された。全国の新聞社にも通達するよう命令された」と証言し、「残しておいたならと涙の出る思いがする」と述べている。

同盟だけではない。東京では朝日新聞も写真を燃やした。読売報知と東京新聞は燃やす必要すらなく敗戦前の空襲で焼失してしまっていた。

一方、毎日新聞は抵抗した。当時の毎日は、戦中に特派員らが撮影した写真を大阪本社で保管していたが、重要なものは奈良県内などに隠して保管した。当時の大阪本社写真部長の故・高田正雄さんは「同僚が命がけで撮った写真を焼けるか」と抗(あらが)ったという。だから戦中の写真は戦後長く毎日の独壇場になったのだが、これは先見の明というより、至極真(ま)っ当(とう)なメディア人の抵抗がもたらした「歴史の遺産」というべきだろう。

2019年1月27日　新聞の連帯

この1月8日、全国の有力地方紙の朝刊に、刮目すべき記事が一斉掲載された。北から北海道新聞、河北新報、東京新聞、中日新聞、神戸新聞、中国新聞、そして西日本新聞の1面トップなどに大きく掲げられた記事の見出しは次のようなものだった。

〈警官４６７人に執筆料1億円超
　副業禁止抵触か
　　昇任試験問題集の出版社〉

記事の冒頭部分も抜粋して紹介する。

〈警察庁と17道府県警の警察官が、昇任試験の対策問題集を出版する民間企業の依頼を受け、問題や解答を執筆して現金を受け取っていたことが分かった。企業の内部資料によると、過去7年間で４６７人に1億円超が支払われていた。最も高額だった大阪府警の現職警視正には１５００万円超が支払われた記録があった。取材に対し複数の警察官が現金授受を認め、一部は飲食接待を受けたことも認めた。識者は「公務員が特定業者の営利活動に協力するのは明らかにおかしい。業者との癒着が疑われる」と指摘する〉

識者の指摘を俟つまでもなく、本業の給与にも匹敵する報酬を得た上、飲食接待まで受けていたなら、癒着どころか相当に怪しげな腐敗臭がプンプンと漂う。記事によれば、元幹部らは「おおっぴらにできない」と答えており、支払われた報酬についての確定申告などは行っていたのか、行っていないなら脱税なども疑われ、メディアとしては水面下に隠された不正を独自取材によって明るみに出した見事な調査報道といえる。

さて、こうして地方紙に同じ記事が一斉掲載されるのは、通信社の配信記事なら別に珍しくもない。ただ、今回は事情が異なる。種明かしをすれば、発端は西日本新聞がキャッチした情報だった。

当たり前の話だが、通常であれば新聞社が摑んだ情報はその社の記者が取材し、自社や系列メディアで報じられる。だが、西日本は今回、友好関係にある六つの新聞に情報を提供し、それを共有し、各社が独自の裏づけ取材も行った上で一斉に特ダネ記事を掲載した。

少し前、世界各国のジャーナリストが協力しつつ租税回避地の実態などを暴いた国際調査報道ジャーナリスト連合（ＩＣＩＪ）の活動が注目を浴びたが、その〝地方紙版〟と言えるかもしれない。西日本新聞の宮崎昌治・社会部長は言う。

「関係地が17道府県警と広範囲に及ぶうえ、一紙だけの報道では黙殺されてしまう恐れも強い。しかし、友好紙と協力すれば黙殺できない影響力を持つ。今後も同様の試みを続けたい」

しかも今回、各社が協力して追及した不正の主は警察である。強大な権力を擁する警察は、メディアにとって事件・事故取材の主要な情報源であり、その意向にはひれ伏しがちになる。それを各社の連携で突破した特ダネを目の当たりにすると、この国の新聞ジャーナリズムもまだまだ捨てたものではないと励まされる。

２０１９年２月24日　幸せな野垂れ死に

反権力スキャンダル雑誌を標榜した『噂の眞相』を率いた岡留安則さんの逸話は数多い。有名なのは検察との攻防だろう。

大半のメディアが「巨悪を撃つ正義」と称揚する検察を、『噂の眞相』は早くから果敢に批判した。東京地検特捜部は１９９５年、名誉毀損容疑で岡留さんらを起訴したが、背後に検察の遺恨があったのは疑いない。

岡留さんは不当捜査への憤りを表明するだけでなく、雑誌編集長として「ファクト」で反撃した。起訴時の特捜部長の接待疑惑を暴き、検察ナンバー２の東京高検検事長を女性スキャンダルで失脚させた。こんなヤツに喧嘩を売るんじゃなかった——当時の検察幹部は心底後悔しただろう。

皇室記事をめぐって右翼に襲撃された際も驚かされた。スタッフともども相当な怪我を負ったのに、警察に届けるのは強く抵抗したのである。「反権力雑誌が警察に助けを求めたくない」という理由らしいが、さすがにスタッフが地元署に被害届を出した。ただ、編集部内の防犯カメラ映像は提供せず、直ちにそれをサイトで無料公開した。しぶしぶ受けた聴取後、「飲み会の約束がある」と言う岡留さんを必死で引き留め、病院で治療させたのもスタッフだったらしい。

こんなこともあった。有名作家と交際していた私の知人のメディア人が『噂の眞相』の突撃取材を受けた。岡留さんと親しい私は知人からも相談を受け、岡留さんが出した条件は「取材に応じれば記事は匿名にする」。納得した知人は取材を受け、記事は匿名で掲載されたが、しばらく後に出た別冊では実名になっていた。知人が抗議すると、岡留さんの回答は「ずっと匿名にするとまでは約束していない」。

無神経。血も涙もない。確かにそうだが、摑んだ情報は可能な限り読者に伝えた。また、実際の岡留さんは温厚で、冗談好きで、偉ぶるところは一切なかった。むしろジャーナリズムに関する姿勢は真っ当すぎるほど真っ当だった。権力監視がメディアの使命であり、権力者はもちろん、社会的影響力を持つ公人やメディア人は遠慮なく叩くが、弱者や私人は叩かない。『噂の眞相』の誌面は、表面上はいかがわしくとも、その姿勢は終始一貫していた。決して真似はできないが、ペン一本でこれほど戦えることを、私は岡留さんに学んだ。

２００4年、惜しまれつつ黒字休刊した後の岡留さんについて、副編集長の川端幹人さんが言っていた。「幸せな余生を送ってほしいんだよね」と。「ああいう雑誌を作った編集長が幸せなら、萎縮で汲々とするメディアへのメッセージになるでしょ」と。

実際に岡留さんの余生が幸せだったかは分からない。ただ、移住した沖縄の生活は楽しそうだった。趣味で飲み屋を経営し、基地に抗う沖縄に寄り添い、編集長時代とは違うリラックスした様子でいつも酔っていた。71歳の逝去はあまりに早いが、特に苦しむことなく息を引き取った。死に顔も穏やかだった。少なくとも、幸せな野垂れ死にだったと思う。

2019年3月10日　危険領域

国会の最大焦点となっている厚生労働省の毎月勤労統計をめぐる不正問題は、どうやら政権の意向を受けた――あるいは政権の意向を忖度した〝統計偽装〟だった疑いが濃厚になってきた。すでに伝えられているように、統計の不正は10年以上前から行われていたものの、２０１8年1月からはさらに新手法が導入され、これによって賃金の伸び率が高水準を記録。この背景には当時の首相秘書官（現・財務省関税局長）が厚労省側に「問題意識」を伝えたことがあった、などと各紙が報じはじめている。

だとすれば、森友学園や加計学園問題と完全に相似形である。加計学園問題では首相秘書官や内閣府幹部が陰に陽に文部科学省に圧力をかけ、公正公平たる行政がねじ曲げられ、最終的に首相の「腹心の友」の理事長が率いる学園獣医学部新設を成し遂げた。

　森友学園問題では、強気の首相や能天気なその妻に翻弄され、さらには当時の学園理事長が誇示する首相の威光なども忖度し、財務省は国有地を学園側に格安で売却しようと謀った揚げ句、その内実を覆い隠そうとして公文書まで改竄してしまった。

結果、本来は徹底して客観的な記録たるべき国家の統計や公文書――それは同時に国民の共有財産でもあるのだが――が平然と歪められるという信じがたい事態が現出した。これは同時に、良かれ悪しかれ盤石を誇ったこの国の官僚機構が根腐れを起こしていることも指し示している。

　振り返ってみれば、長期にわたる「1強」政権の下、多弱の野党を尻目に巨大与党の内部は異論なき一色にほぼ染め上げられ、国会は政権の下請け機関と化し、行政府をチェックすべき立法府の権能は恐ろしく脆弱化した。つまり、三権分立という民主政体の基本機能が驚くほど劣化してしまっている。

　加えて為政者の放埒な権力行使を制御するための憲法はないがしろにされ、自民党を含む歴代政権がかろうじて堅持してきた憲法解釈はあっさりと変更された。さらにはその憲法を「恥ずかしい」ものだからあらためるのだと首相自身が公然と吠えつづけている。しかも、自衛官の募集に6割の自治体が協力していないなどという、これまた事実を歪めた理由を根拠にして。

だが、果たして愚鈍なのか無神経なのか、当の為政者に自省の気配などまったくみられない。相も変わらず前政権批判を繰り返し、あのころは「悪夢」だったと罵って薄笑いを浮かべている。馬鹿を言うものではない。本来は徹底して客観的たる統計や公文書がねじ曲げられ、改竄され、官僚機構の矜持ばかりか三権分立の原則までが根腐れし、憲法すらないがしろにする政権以上の「悪夢」など存在しない。

しかも世界が眉をひそめる異形の大統領を首相は「日本を代表して」ノーベル平和賞に推薦し、一方で歴史修正主義的な態度で隣国叩きに躍起となり、メディアもそれを盛んに囃し立てている。この国はいよいよ本格的な奈落に落ちかけている。

2019年5月26日　メディアのパラドクス

約30年前の改元と代替わりのころ、私はまだ学生だったが、メディア報道の惨状に呆然とさせられた。昭和天皇の死という弔事が伴ったとはいえ、大半のメディアが強烈な自粛ムードに押しつぶされ（あるいは自ら進んでひれ伏し）、ほんの一部の言説を除けば、日本政治と天皇制へのクリティカルな論評が皆無に近かったからである。

それから約30年経った今回はどうか。憲政史上でも初となる生前退位だったため、前回のような自粛の気配はもちろんない。しかし、大半のメディア報道が一層軽佻な〝祝賀〟ムードに覆い尽くされた。そしてやはり、天皇制そのものへの根源的な批評はおろか、現政権と皇室の間に流れていた緊張関係への言及なども非常に薄く、むしろ外国メディアによる率直かつ直截な論評が目についた。その論評自体、日本メディアではほとんど転電されていないから、ほんのいくつかの記事のさわりを紹介しておきたい。

例えば英BBCは4月30日、次のような記事を電子版（以下同）に掲載した。

〈現在の首相は平和憲法を日本から取り除くと誓ってきた。彼らは愛国教育を取り戻し、彼らが「歴史的マゾヒズム（自虐史観）」と呼ぶものを抹消したがっていた。（これに対し）明仁天皇は、歴史修正主義に対する軽蔑を繰り返し表明してきた〉（丸カッコ内は引用者注）

また、米AP通信は4月30日、東京発の退位ドキュメントでこう書いている。

〈日本の軍事的役割の拡大を目指してきた首相とその超保守主義的な支持者たちは、明仁が日本の戦争の過去を繰り返し思い出すことに苛立ってきたようだ〉

中でも秀逸なのは米ニューヨーク・タイムズだった。東京支局長が計5回の連載を書き、敗戦時から説きおこして天皇制と前天皇の歴史的役割をここまで論評している。

〈憲法は天皇から神としての地位を奪い、形だけの存在とした。そして明仁は、日本を再形成するにあたり、米国が意図する価値を伝えるパイプ役として育成される〉

その上で同紙もやはり、現在の日本政治と天皇の関係に辛辣(しんらつ)に言及した。

〈日本の憲法は天皇の政治への関与を禁じている。しかし明仁は、日本の極右に対する抑止力になっている。伝統主義者として、右派は天皇制を崇(あが)めてきた。しかし明仁の、日本が過去を忘れないようにという静かな抵抗に対し、彼らは苛立った〉

同紙の連載はこれにとどまらず、出産のプレッシャーにあえいできた新皇后や「不自然なほど礼儀正しく振る舞って」きた皇族の苦悩に踏み込んで読ませる。

振り返ってみれば、皇室や天皇制に関する報道は、外国メディアの方が直截に斬り込む例が過去幾度もあった。要するに、いくら真実に近い場所にいても、メディアが圧力やタブーに侵されていれば、周縁部からの観察者の方が真実に近い論評を加えられる——そんなパラドクスがまたも繰り返されたということだろう。

2019年7月7日　破滅の条件

何年か前、作家の半藤一利さんと別の雑誌で対談した際のことを思い出している。戦前戦中の旧陸軍にも優秀なエリートは多数いたはずなのに、あれほど無謀な戦争に突き進み、破滅に向かってしまったのはなぜか。そう尋ねる私に、昭和史の泰斗はおおむねこんな解説を口にした。

こうあってほしいという「希望的観測」ばかりに寄りかかり、「他部署からの情報は認めず、何を余計なものを持ってくるのかという調子」だったうえ、「結果的に貴重な情報が入っても、そんなことはあり得ない、デマだと屑籠に入れてしまう」ような態度が破滅へと向かわせた、と――。

もちろん、それ以外にも極度に精神主義的なナショナリズムなども複雑に絡みあっていた。ただ、あらためて歴史の教訓を嚙みしめる。自らに都合の良い情報ばかりかきあつめ、批判されるとそれを盾に開き直り、逆に都合の悪い情報は軽視し、無視し、時に隠蔽したりねじ曲げたり、果ては見なかったことにして屑籠に放り込むのは、かつてと同じ破滅への道――と記せば、私が何を言いたいか推測がつくだろう。そう、これぞまさに現政権の振る舞いである。

森友学園問題では、政権に不利な情報を財務省が隠蔽し、公文書の改竄にまで手を染めた。加計学園問題では、文科省の内部文書を「怪文書」扱いし、事実を告発した元事務次官には醜聞攻撃を加えて口封じを謀った。防衛省のPKO日報隠蔽も、厚労省の杜撰データ問題もそう。前者はやはり政権にマイナスな情報を隠し、後者は政権の法案に有利な情報ばかり示そうとして墓穴を掘り、政治問題化した。

直近ではイージス・アショアの配備先をめぐるデタラメ調査も同じである。はじめに配備ありき、配備先ありきだから、他の候補地は現地調査もせず、ネット情報で〝測量〟を済ませ、不都合な事実に目をつぶろうとして馬脚を現した。そして今回起きたのは金融庁の審議会が出した「老後資金2000万円不足」の報告書問題である。

各メディアが盛んに報じているから詳細は省くが、審議会に諮問した大臣は「政府の政策スタンスと違うから受け取らない」と言い出し、与党幹部は報告書を「もう存在しない」と言い放った。ただでさえ大抵の審議会は各省庁の〝御用機関〟なのに、政権の意に沿わぬ声は聞かないなら、今後すべての審議会は〝完全御用〟化する。いや、それ以前の話として、これこそ不都合な事実は「余計なもの」として「屑籠に入れ」る態度そのものではないか。

すでに多くの人が気づいているだろう。このままではいずれ年金などの社会保障は行き詰まる、と。実際、現在の調子で少子高齢化が進み、借金財政を重ねれば、おびただしい数の高齢者が貧困に喘ぎ、社会不安を起こしかねない。確実に破滅への道を突き進んでいるのに、「1強」政権は見ぬふり、知らぬふり、逆に妙なナショナリズムを煽るだけ。歴史の教訓に鑑みれば、すでに破滅への条件は相当に整っている。

2019年11月17日　現場

メディアにかかわる仕事を続けているから当然のことではあるのだが、これまでさまざまな事件や災害の現場に立ってきた。大抵の場合、その凄まじさに息を飲み、伝えるべき言葉を失って茫然とさせられた。それでもなんとか言葉を紡ぎ出し、現場の空気を伝えようと七転八倒するのだが、果たしてどれほどそれを為してこられたか、いまも自信などまったく持てないでいる。

通信社の記者時代なら、阪神大震災や地下鉄サリン事件の現場などがそうだった。フリーランスになって以降は、発生直後の現場に駆けつけるような機会はかなり減ったが、それでも東日本大震災の被災地などをめぐり歩き、被害規模の巨大さと凄惨さに言葉を失った。つい最近は、私にとっては故郷でもある長野で発生した千曲川の氾濫現場を訪ね、急流に押し流された住居や泥水に埋まった田園の風景に息を飲んだ。

しかし、現場に立ってみて逆に拍子抜けするような経験もまれにはある。これも少し前のことだが、メディアがこぞって取りあげた国際芸術祭「あいちトリエンナーレ２０１９」

の企画展「表現の不自由展・その後」がそうだった。企画展の再開直後に機会を得て観覧したのだが、誤解を恐れずに記せば、この程度の展示に多数の者たちがいきり立ち、果ては脅迫を加え、政権の幹部や大都市の首長までがこれを煽るような言動を繰り返したのかと、その落差に拍子抜けする思いを抱くだけだった。

芸術とかアートと呼ばれる分野に精通しているわけではないから、以下は芸術作品としての価値に対する評価でないことをお断りしておく。ただ、企画展が攻撃される最大要因のひとつとなった少女像は、突飛でも奇抜でも特異でもなく、ごく小さく、ごく平凡な一体の像にしか見えなかった。

考えてみれば、少女像が象徴しているという慰安婦が存在したことは日本政府も認める歴史的事実である。慰安所の設置や管理などに旧日本軍が関与したのも、本人の意に反した甘言や強圧等で慰安婦が集められ、それが「痛ましいもの」で「多数の女性の名誉と尊厳を深く傷つけた問題」なのも日本政府が認めた事実。突き詰めれば、少女像は単にそれを作品化し、戦時性暴力などへの警鐘を鳴らしたものにすぎない。

昭和天皇の写真を燃やしていると批判された作品も同様だった。少なくとも私が見るところ、昭和天皇を冒瀆しようとか、天皇制そのものを否定するような意図は作品から感じられない。聞けば、作者がかつて富山県の美術館に出展したコラージュ作品の図録が焼却処分されてしまったことに着想を得た映像作品だという。

なのに多くの政治家らがいきりたち、作品を見もせずに多数の者たちが煽られて企画展に攻撃を加える。中には慰安婦の存在そのものを否定するような言説まで飛び交い、文化庁は補助金の不交付に突き進んでしまう。要するにこの問題の真の現場は、企画展そのものではなく、急速に狭隘化する日本社会の方なのだろう。そちらの凄惨さにむしろ私は息を飲み、言葉を失う。

2020年2月9日　毒花とペンペン草

財務省の公文書改竄、防衛省のPKO日報隠蔽やイージス・アショアのデタラメ調査、厚労省の統計不正、総務省の情報漏洩、文科省の収賄。いずれも現政権下、中央省庁で発覚した不祥事の一部だが、これほど同時多発的かつ省庁横断的に重大不祥事が相次ぐ事態は過去に例がない。

しかも不祥事の中身を眺めれば、大半は政権の無茶な政策や「はじめに結論ありき」の態度、または政権を〝決死擁護〟するために引き起こされた疑いの濃い事案ばかりである。つまり各省庁が人事などを官邸に牛耳られ、しかも子どもじみた嘘や詭弁も平然と吐く現政権下、官僚組織に深刻な根腐れが蔓延していることを示している。

そして内閣府で現在問題化し、公文書管理法などに違反する不祥事である。報じられているとおり、首相主催の「桜を見る会」の推薦者名簿をめぐり、内閣府が保管名簿の一部を隠蔽して国会提出した問題でまずは現職の人事課長が「厳重注意」処分を受けた。また、過去の招待者名簿を管理簿に記載せず、廃棄記録も残していなかったとして歴代の人事課長も同じ処分とされた。あまりに杜撰な公文書管理の実態に呆れる——などとカマトトぶった嘆きをいまさら書いても詮無いが、公文書管理法違反は明確であり、処分は至極当然、むしろ「厳重注意」などという軽い処分でいいのか、という苛立ちを抱く。

しかも、明らかに見当識が狂っている。喩えていうなら、中央で醜い毒花が盛んに腐臭を放っているというのに、脇に生えたペンペン草ばかりを引っこ抜き、躍起になって除草剤を撒いているような構図だろうか。

あらためて記すまでもなく、「桜を見る会」が政治問題化したのは、古くから続く公的行事を現政権が露骨に私物化し、支持者や後援者を公費で大挙饗応していたことにこそ本質がある。さらには詐欺的商法で多数の被害者を出した会社幹部が首相枠で招かれていたといった信じ難き疑惑が続々発覚し、問題はさらに炎上した。

だから内閣府は招待者名簿をシュレッダーにかけて隠蔽した。いや、従来のやり方を踏襲しただけですべては「偶然」なのだと官邸は強弁するが、そんなはずはあるまい。今回の内閣府の不祥事は、そうして「桜を見る会」が政治問題化する過程で発覚した、いずれも「脇の問題」にすぎない。

財務省の公文書改竄も、防衛省のＰＫＯ日報隠蔽なども似たような構図だったが、政権の意向を必死に忖度し、無茶な強弁に符牒を合わせようとした側が処分され、まさにトカゲの尻尾として切り捨てられる。

いやいや、政権に忠誠を尽くせばいずれ甘い蜜にありつけるからだよ、としたり顔で解説を加えることもできる。だが、これほどまでにコケにされ、切り捨てられ、わずかでも憤りを抱かないのだろうか。官僚などという人種に過大な希望を抱く趣味はないが、もはや官僚には一片の矜持も意地もないのか。全力で反乱を起こす気概はないのか。そんな呼びかけは、やはり無駄なことなのだろうか。

2020年3月29日　真の恐怖

常日ごろ「国民の生命と財産を守る」とか「国難突破」とか「憲法に緊急事態条項を」などと嘯いてきた政権だが、新型コロナウイルスの世界的蔓延という真の危機事態を受け、薄っぺらなメッキがさらに剝げ落ちてきたようである。以下は推測も交えた記述になるが、政権は当初、大した危機感すら抱いていなかったろう。ひょっとすれば、「桜を見る会」の諸疑惑などから人びとの目を逸らしてくれる、とでも考えてほくそ笑んでいたのではなかったか。自らが前面に出て「やってる感」の演出だけは怠らなかった政権の主も、連夜のように側近や取り巻き、〝お友だち〟との会食にうつつを抜かしていた。

しかも「1強」官邸に牛耳られた官僚組織は萎縮と忖度の病に蝕まれている。下手に動いて失敗すれば責任を押しつけられるだけ、という諦観や恐怖もあるだろう。または〝コネクティングルーム〟でつながった官邸官僚らが指揮を執っている無残な現実によるものか、多数の感染者や死者を出したクルーズ船をめぐる対処ではその杜撰さが国際的批判を浴び、検査体制の整備すら遅々として進まないなか、国内でも感染拡大が止まらず、政権支持率にも影響が出はじめた。

これで政権の主や側近は焦りを深め、文部科学省の抵抗を押し切り、与党にも根回しせず、「一斉休校要請」という「やってる感」演出の劇薬に手を伸ばした。感染拡大の防止にまったく意味がないとはいえないにせよ、科学的効果の見通しや根拠＝エビデンスはゼロ。そもそも検査体制が一向に整わず、感染状況等が把握できていないのだからお話にもならない。

振り返ってみれば、政権のコアな支持層である一部右派や〝お友だち〟のネトウヨ文化人らは、ヘイト的な嫌中意識もあって当初から「中国人の全面入国規制」を叫んでいた。とはいえ、4月に予定された中国国家主席の国賓訪日を控え、日露や日朝交渉などが行き詰まった政権としては、日中関係を外交面の成果にしたい打算もあった。それに日中関係の悪化は政権基盤を左右する財界が望まない。

しかし、日中での感染拡大を受けて主席訪日は延期され、中国指導部に気を遣う必要も当面薄れた。だから〝お友だち〟を慰撫（いぶ）する意味も込めて中韓からの入国規制に踏み切った。要はその場しのぎの打算と思いつき。守りたいのは「国民の生命と財産」ではなく「政権」とその「支持率」。

さて、これからいったいどうなるか。その場しのぎの保身しか頭にないボンボン世襲政治家に危機対応の能力があるとは思えない。新型ウイルスも厄介だが、そちらの方が私には恐ろしい。

2020年5月31日　権力のありよう

コロナ禍の最中、検察庁法改定案への反発が猛烈な勢いで広がっている。本稿執筆時点で与党は法案を強行突破する姿勢を崩しておらず、一方で政権側近の前法相立件に向けた広島地検の捜査も大詰めを迎えているらしく、本誌発売時に事態がどう展開しているか、しかとは見通せない。ただ、政権が横紙破りの手口で検事総長に就けようと謀る東京高検検事長に関し、数々の事件を潰した「官邸の守護神」であるとか、政権に絡む今後の捜査を抑えこむことも狙っているといった言説が飛び交うのを眺めると、はてそんなに単純な話だろうかと首をひねる部分もなくはない。

問題の黒川弘務・東京高検検事長をよく知る検察OBや関係者によると、確かに黒川氏は昨今の検察官には珍しい〝人たらし〟ではあるらしい。しかも法務・検察では政治との窓口役となる官房長や事務次官を7年以上も務め、40年近い検察官生活の半分近くを法務省で過ごしている。

だから与野党を問わぬ政界や官界に深い人脈を持ち、検察官らしからぬロビイングや根回し能力にも長け、現政権が強行した共謀罪法や通信傍受法強化の成立などに大きく貢献した。他方、大阪地検特捜部を舞台として起きた証拠改竄事件などを機に未曾有の検察批判が高まった際は、民主党政権下で発足した「検察の在り方検討会議」の事務局を中枢的に担い、本来は実現すべき刑事司法改革を法務・検察の都合の良い方向へとねじ曲げるのにも寄与した。

当時、黒川氏は松山地検の検事正に着任したばかりだったが、わずか2カ月で法務省に呼び戻され、「検討会議」事務局に投入されたのはよく知られている。つまり、黒川氏が「官邸の守護神」だったとするなら、法務・検察にとっても政官界を上手く丸め込む「守護神」ではなかったか。

そんな人物を脱法的な定年延長で検事総長に据えようという目論見はもちろん論外にせよ、政権に当初からそれほどの深謀遠慮があったのか、実のところ私は訝っている。数々の事件を黒川氏が潰したかはともかく、むしろ政権にとって使い勝手の良い「有能な検察官僚」であり、共謀罪法成立などの論功に応えるため、大した考えもなく検事総長にしてやろうとしたのではなかったか、とある検察ＯＢも言う。

この「1強」官邸の意向に法務省も抗えず、定年延長という奇策をひねり出した。それに合わせ、当初は予定していなかった検察庁法改定にも着手したが、世論の予想以上の反発に驚き、慌て、しかもコロナ対策で後手後手を踏む政権批判が高まる中、人格的にも問題ある政権側近の前法相という格好の獲物を得て検察は逆襲に出た。

いずれにせよ、政権は禁忌とされてきた検察トップ人事への介入で検察権力の〝虎の尾〟を踏んだ。しかしそれは検察が正義であることを意味するわけでは決してなく、権力などというものは可能な限り分散して相互に緊張関係を保つのがやはり肝要なのだという当たり前の事実を、あらためて示したにすぎない。

2020年6月7日　権力闘争

ここにきて政治権力と検察権力がガチンコでぶつかる権力闘争の様相を呈しはじめ、双方とも混乱の極に達した観がある。お隣の韓国では少し前、政権が任命を強行した法相に検察が真っ向から捜査の刃(やいば)を振りあげ、この国のメディアはその混乱を面白おかしく取りあげたが、ここにきてようやく韓国に追いついてきた――などと皮肉れば、政権応援団やネトウヨは金切り声をあげるだろうけれど。

とりあえず第一幕は、検察側に軍配があがったようである。いや、もう少し正確に評すれば、法務・検察も「1強」政権の恫喝(どうかつ)にしぶしぶ従わされていたが、感染症対策をめぐる愚鈍な対応への批判や混乱で政権の体力が削(そ)がれ、加えて思いもよらぬ世論の盛りあがりという援軍まで得てOBが声をあげ、検察トップ人事への政治介入を制度化しかねない検察庁法改定案の強行突破は「断念」に追い込まれた。

第二幕は、いよいよ検察が政権側近の前法相に向けて捜査の刃を振りあげる局面に入る。首相補佐官なども務めた河井克行前法相を公職選挙法違反容疑で立件する広島地検の捜査。前法相は妻の案里議員が初当選した昨年の参院選をめぐり、地元政界に現金をバラまいたことがすでに発覚していて、検察は緊急事態宣言解除の動向などを睨みつつ、公選法が禁ずる買収容疑で国会への逮捕許諾請求も視野に入れている。

しかも案里議員は政権の全面支援を受けて選挙戦に臨み、陣営には党本部から1億5000万円という巨額選挙資金が投入されていた。法を司る法相経験者が刑事責任を追及されるのは前代未聞なうえ、買収の原資がこの資金ならば政権の責任が一層重大に問われる。「やってる感」とツキだけで長期政権を維持してきたが、とうとう潮目が大きく変わったのかもしれない。

ただ、前回の本コラムでも記したが、検察を正義などと祭りあげてはならない。検察もまた強大な権力機関であり、数々の悪弊や歪みも抱えている。古今東西、政治体制の左右などを問わず、権力とは常に腐敗する運命を内包しており、だから権力は可能な限り分散させ、相互に緊張関係を保って牽制させあうのが民主政体の基本原則。つまり、ようやく健全な兆候がこの国の政治に現れ、件の検事長も醜聞で墜落した。

しかし、再び韓国と比べれば、この国の政権の愚かしさはやはり際立つ。韓国の場合、政権の本音がどこにあったかはともかく、一応は「検察改革」という大義を掲げて政権は検察と対峙した。実際、韓国の検察は絶大な権限を背景として時に政治と癒着し、時に暴走し、「検察改革」を求める声はリベラル層を中心に強かった。

ところがこの国の政権は大義らしきものすら一片も示さず、違法性すら指摘される搦手でトップ人事に介入し、検察を支配下に収めようと謀った。自らの不正腐敗を追及されぬための企みとしか感じられず、この点でも韓国の方がまだマシ。そう書けば、政権の応援団やネトウヨはさらに悶絶するだろうけれど。

2020年8月23日　隣人への仕打ち

コロナ禍で日本はほぼ〝鎖国状態〟になっている。感染対策のために政府が入国拒否の対象としている国や地域は現時点ですでに129。世界各国が似たような状況だから、これ自体は特異なことでもないが、明らかに特異で愚かな面もある。日本に生活の基盤を持つ外国人の再入国に関する取り扱いである。

当たり前の話だが、日本国籍を持つ者であれば、いつ出国しても再入国できる。空港などでPCR検査を受け、2週間の自宅待機などは求められても、再入国に問題など生じない。ところが、特別永住者などを除く外国籍の在住者は、いったん出国すると再入国が極めて難しい。

日本に10年以上暮らして法相の許可を得た永住者であっても、その家族でも、あるいは日本国籍者の配偶者などであっても、いったん出国した外国人は日本への再入国が原則禁止。つまり、生活の拠点や家族の元に戻れなくなりかねない。

このような措置を取っている国は、少なくとも主要な先進国では例がない。批判や反発を受けて政府や出入国在留管理庁は最近、「特段の事情」がある場合には再入国を認める方針を示したが、そのハードルが非常に高く、かつ不透明だという。

毎日新聞デジタル版の記事（7月23日配信）では、和田浩明記者が在日外国人の悲痛な訴えをいくつも紹介している。このうち台湾出身で関東地方に暮らし、製造業の会社に勤務する女性は、台湾の父が4月に亡くなった。だが、葬儀に参列したいと入管当局に相談したら「特段の事情にあたらない」と突き放されてしまったという。

「父の葬儀に参列できなかったのは、あまりにも悔しい」「これでは友人に聞かれても日本で働くよう勧められない」。女性の訴えが胸に痛い。感染対策だというなら、日本より台湾の方が制御に成功しているのに、と和田記者は書く。頷くしかない。

朝日新聞にも同21日夕刊に類似の記事が載った。このうちフランス語の通訳や翻訳を続けながら30年以上も東京都練馬区に暮らすフランス人女性の場合、母国に暮らす息子と会えない状態が続いている。「日本文学を世界に広める仕事をし、自分なりに日本に貢献してきた」という女性はこう語ったと記事にある。「永住者でも、しょせん二流市民なのでしょうか」

東京新聞では文筆家の師岡カリーマさんがコラムで書いていた（同25日朝刊）。「国民同様に税金や健康保険料を払い、社会に貢献していても、いざという時は締め出されるという不信感。（略）フェアでもグローバルでもない」

難民の受け入れなどに冷淡なばかりか、ともに暮らす隣人にも冷酷で非人道的な国。さまざまな事情はあれ、この国に暮らす外国人の多くはこの国に愛着を抱いている。そうした人びとへの非道な仕打ちは、どう考えても国の評価を足元から掘り崩す愚行である。果たしてこれが「美しい国」のすることか、現政権の周囲で勇ましい自称「愛国者」は足元を見つめ直した方がいい。

2020年11月8日　政治と警察

日本学術会議の会員候補任命を政権が拒んだ件は、あまり指摘されない角度からも問題を捉え直す必要がある。6人除外の判断に関わった者の出自と立場である。

報道によれば、6人除外の判断を下したのは杉田和博官房副長官ではないか、と指摘されている。もちろん、時の政権に任命拒否の権限などあるのかという法解釈上の問題もあるし、法律上は学術会議側の「推薦」に基づいて首相が「任命」すると定められているのだから、１０５人の推薦名簿を「見ていない」と言い放った首相の言動には違法の疑いすらある。ただ、判断を下したのが杉田氏だとするなら、決して見逃せない別の問題も浮かんでくる。

あらためておさらいすれば、定員３人の官房副長官のうち２人は衆参両院の議員から選ばれ、事務担当の副長官には官僚出身者が就く。旧内務省系の省庁から選ばれる例が多く、官僚トップとして各省庁を総合調整しつつ霞が関全体を睥睨（へいげい）する。

前政権で事務担当の副長官に起用された杉田氏は警察庁出身。しかも政治的背景を持つ事件捜査や情報収集を任とする警備公安部門を主に歩み、警察庁警備局長も務めた。いわば公安警察の大物である。

警察もまた旧内務省の一部ではあったが、実は警察庁出身者が官房副長官になるのは多くない。戦後間もなく警察出身者が幾人か副長官に就き、のちに政界に転じた後藤田正晴氏は有名だが、いずれも戦前の内務省に入った旧内務官僚であり、戦後の警察庁出身は杉田氏で２人目である。

理由はいくつかある。まず、本来は治安機関の警察はかなり特殊な役所で、省庁間の調整作業などに適任とは言い難い。また、強大な権限や情報収集力に加えて機動隊といった物理的な力も持つ警察は、政治との一定の距離が求められる。本欄で何度か書いたが、政治が警察組織に直接介入するのを防ぐ公安委員会制度は、警察が軍部ファッショの尖兵（せんぺい）となった戦前戦中の反省に基づいて戦後創設された。

だが、前政権は経産官僚とともに警察官僚を重用し、官邸官僚として側近化させた。杉田氏の副長官在任はすでに8年近くに及び、現在は内閣人事局長まで兼務している。また、外交安保政策の企画立案などに当たる国家安全保障局長にも公安部門出身の警察官僚が就いている。

つまり、公安警察の出身者が政権中枢に深々と突き刺さり、官僚人事から外交安保政策までを差配している。戦後政治でも例のない異常事態であり、断じて好ましくないと私は思う。警察が政治と一体化する危険はもちろん、公安警察は政府にまつろわぬ者を敵視する思想警察的な色彩が強い。

なのに、その公安警察出身の副長官が日本学術会議の任命拒否を主導したと囁かれている。日本学術会議の独立性がうたわれているのも科学が軍事に総動員された戦前戦中の反省に基づくことを考えれば、今回の事態は二重の意味で戦後の矜持が破壊されつつあることを示している。

2021年2月7日　政治取材の現在と原罪

就任から4カ月経た新首相のポンコツぶりがメディアを賑わせている。特に槍玉にあがるのはその言語能力、発信能力の欠如。各種の演説や記者会見でも手元の資料から目を離せず、にもかかわらず重要な部分をたびたび誤読し、テレビ出演時などもごく簡単な問いに適切な答えを返せない。

そして窮すると発するのが「人事のことについては回答を差し控える」「仮定の話については回答を差し控える」といった逃げ口上。新型コロナ対策をめぐる後手後手の失政がもちろん最大要因だろうが、このありさまでは各メディアの世論調査で支持率が急落するのも至極当然に思える。

ただ、そうした首相の能力欠如を疑問視する報道をながめつつ、私はふと首をひねってもしまう。この首相は憲政史上最長だという7年8カ月もの前政権下、一貫して官房長官を務めていたのではなかったか。官房長官は政権のスポークスパーソンであり、日々の会見などでの、おそらくはそつのない対応ぶりから「鉄壁のガースー」などと評されていたのではなかったのか。

正直に記せば、政治記者ではない私も、そんなものなのかと思いこんでいた。前政権下で数限りなく浮上した醜聞や疑惑について「ご指摘はあたらない」「まったく問題ない」などと平然と強弁し、疑問に正面から答えない態度に激しく苛（いら）だちはしたが、ここまでポンコツだとは気づいていなかった。多くの方が同じ思いだろう。

では、官房長官としての彼に間近で張りつき、日々接してきた政治記者たちは、そのポンコツぶりに気づかなかったのか。もし気づかなかったなら記者側も無能の誹（そし）りを免れないし、気づいていて報じず、いまになって問題視しているなら記者としての不作為を問われる。

というより、官房長官に張りつく政治記者たちにとっては、政治家としての彼の言語能力や発信能力などにさほど関心はなく、いかにして彼からネタを取るかに腐心してきたのが本当のところだったろう。だから強圧的な脅しにおもねり、機嫌を損ねぬよう忖度し、会見で常識はずれの強弁を繰り返しても厳しく追及してこなかった。結果、政治家としての彼の本質は可視化されず、淘汰されることもなく能力が鍛えられることもなかった。

私自身、政治記者の経験はなくとも大手メディアに長く属したから、政治記者だけを一方的に断罪するつもりはないし、その資格もない。だが、こうした取材対象と取材者の関係――ことに政治取材の現場でのそうした関係は、いいかげん根本的にあらためねばならないと痛切に思う。

まずは裏でネタを取るのに汲々とする体制を見直し、時に社の垣根を超えて記者が協力し、せめて会見で問いただすべきはしつこく厳しく問いただすこと。それすらせずに、いまになって首相の発信能力欠如を批判するのは、メディアの使命とはいっても鼻じらむ思いが拭えない。むしろメディア不信を増幅しかねないとすら私は危惧する。

2021年4月25日　デジタル監視国家

新型コロナや数々の政治醜聞ニュースの陰に埋もれてメディアはさほど大々的に報じていないが、デジタル庁の創設などを柱とするデジタル改革関連法案は相当に危うい代物である。例によって政権は60本もの関連法案を束ねて国会に提出し、精密な審議を避けたい思惑が透け見えるが、時代の趨勢でもある行政システムのデジタル化推進は必要にせよ、政府による個人情報の際限なき利用に厳密な歯止めをかけねば異様な監視社会への道を開きかねない。

関連法案を眺めると、新設されるデジタル庁には国や地方の情報システムが集約され、いわゆるマイナンバーに紐づく個人情報なども直結させて「情報の利活用」を推進するらしい。また、デジタル庁は首相がトップを兼ねる異例の組織となる。その情報運用は政府の個人情報保護委員会が監督するとされるものの、行政機関への命令権は付与されず、立入検査なども及ばない。

つまり、さほど遠くない将来、私たち一人ひとりの氏名や住所、家族状況といった基礎情報はもちろん、銀行口座や納税・資産状況、病歴や通院状況、外国渡航状況といった極度にセンシティブな個人情報が串刺しにして一括管理され、それを官邸や官邸直属の組織によって吸い上げられる体制が整いかねない。そして、その濫用への歯止めや監視システムはほぼ皆無。

まず想起しなければならないのは、最近の政権と官邸の風景である。本欄では何度か言及してきたが、前政権期から官邸には警備公安部門に出自を持つ警察官僚が続々と重用され、霞が関官僚トップとして各省庁を睥睨(へいげい)する官房副長官にはすでに8年以上も警察官僚出身者が君臨してきた。

その官房副長官は、これも前政権下で新設された内閣人事局のトップも兼務して幹部官僚人事を差配し、果ては学術界に政治介入する日本学術会議の会員任命拒否の際にまで中枢的役割を果たした。6人の任命をなぜ政権が拒否したのか、いまなお理由は説明されていないが、政権にまつろわぬ学者の〝思想性〟が問題視されたと考えるのがもはや常識だろう。

さらに官邸は内閣情報調査室も率い、そのトップである内閣情報官は警備公安部門出身の警察官僚の指定席となってきたが、先代の情報官も前首相や現首相の異様な重用を受け、現在は外交・安保政策の司令塔となる国家安全保障局長に就いている。官僚人事から外交、安保政策までを警察官僚出身者が差配するのは戦後初の異常事であり、特定秘密保護法や共謀罪法といった強烈無比な武器も警察は次々投げ与えられてきた。いわば如実な政治警察化といえる。

そんな官邸に個人情報が縦横に吸い上げられる体制が築かれたらどうなるか。私の取材経験をひもとき、いくつかの具体的事例から危うさを考えてみたい。

あれはもう10年ほど前のこと、警備公安警察における現場の最大部隊ともいうべき警視庁公安部の内部資料がネット上に大量流出して関係者が騒然とする事件が起きた。それは公安警察の活動実態を知る格好の資料でもあるが、本稿で注目するのは公安部が収集に躍起となっていた情報の質と種類である。

9・11テロなどを受けて公安部は02年に外事3課を新設し、「国際テロ対策」を名目に首都圏のイスラム教徒らを監視していた。そのこと自体の是非はともかく、同課はあらゆる手段で関係者の個人情報を収集し、しかも流出させた資料にはテロとはおよそ無関係な人物を含む氏名や住所、家族や交友関係、携帯番号等はもちろん、大量の銀行口座情報まで仔細に記載されていた。

公安警察といっても警察組織の一角である以上、事件捜査に無関係な情報収集は違法の誹りを免れないが、流出資料にはレンタカー会社の利用者情報などが常に収集可能と記され、複数の大学は在学する留学生情報まで同課に提供していた。顧客情報を安易に流す企業はもちろん、自治を重んじて学生を守るべき大学が学生情報を官憲に渡す神経を私は心底疑うが、一方で公安警察は古くからこうした活動を営々と続けてきた。

拙著『日本の公安警察』にも書いたが、公安警察は中央省庁や基幹産業の幹部に「左翼」が入りこむことを「治安上の脅威」と捉え、尾行や視察といった手段も使って「危険人物」を監視し、時に陰湿な手口で「排除」に邁進してきた。公安部幹部になかば自慢話として聞かされたのだが、ある中央省庁の幹部に内定した人物が「共産党シンパ」と睨んだ際は身辺を徹底的に調べ、妻のほかに愛人がいる事実をつかんで人事を白紙撤回させたこともあったという。

警察組織のこんな行為が妥当か否かと言えば、断じて妥当ではないと私は思うが、そうした組織が収集情報を政治的に流用したらどうなるか。近年の典型的事例が元文科事務次官を襲った「出会い系バー通い」報道だろう。加計学園問題をめぐって実名告発に踏み切る直前、元次官の醜聞として大手紙が大々的に報じた一件は、明らかに告発潰しを狙った官邸リーク。差配したのは公安警察出身の官房副長官であり、その官房副長官は現在も官邸に君臨して幹部官僚人事を牛耳る一方、外交や安保分野までを警察官僚が担っていることをあらためて想起してほしい。

そんな彼らにしてみれば、マイナンバーとも紐づく串刺しの個人情報は垂涎の的だろう。ならば、首相をトップとするデジタル庁に集約される個人情報の使用範囲に厳密な歯止めをかけ、国家や権力による不正流用に眼を光らせる監視組織の整備は必須。だが、国会はわずか30時間ほどの審議で法案の衆院通過を許してしまったらしい。なんとも平和ボケでおめでたい立法府の風景である。

2021年7月4日　治安法続々

この原稿を書いている日の未明——つまりは6月16日の未明、いわゆる重要土地利用規制法が国会で成立した。いまさら声高に嘆いても詮ない気分になってくるが、これほど曖昧かつ粗雑な——しかし、だからこそ拡大解釈や恣意的な運用が可能にもされてしまう

――治安法を無理矢理に、そしてろくな審議もないまま易々と成立させる与党の退廃は、もはや行き着くところまで行き着いた観がある。

とにかく、ざっと記すだけでもすさまじくひどい治安法である。まずは米軍や自衛隊の基地といった「重要施設」の周辺約1キロメートルの範囲などを「注視区域」、または「特別注視区域」に指定し、その区域内の土地所有者や利用者らに関する広範な監視と情報収集を可能にする。また、指定された「重要施設」への「機能阻害行為」を禁じ、命令に従わねば刑事罰も加えられる。

政府与党はこの必要性について、「重要施設」周辺や国境近くの離島の土地が外国資本などによって買い占められるのを防ぐためだと強調したが、いかにも陳腐な排外主義的気配ばかり漂ううえ、衛星やサイバー空間での情報収集が主流の現代、こんなアナクロな治安法で基地周辺などを監視しようという発想そのものが時代錯誤。

しかも最大の問題は「重要施設」とはいったいなにか、あるいは「機能阻害行為」とはなにかが条文で明確に定義されておらず、いずれも今後の政令などに委ねられるという、およそ治安法としては信じ難いほどの曖昧さと粗雑さである。これではありとあらゆる施設が「重要施設」に指定され、ありとあらゆる行為が「機能阻害行為」として刑事罰の対象にされかねない。

こうなると真っ先に狙いを定められそうなのが沖縄の米軍基地建設や原発などに反対する各種の市民運動であり、国会審議でも野党側からそうした懸念が盛んに指摘され、あげくのはてには空気を読めないネトウヨ与党議員が質問のなかで沖縄の米軍基地反対運動にもこれを適用せよと口走り、はしなくもこの治安法の正体を浮き彫りにさせてしまう一場面もあった。

推測するに、もともとそういう発想のなかから押し出されてきた治安法だと私は思う。前政権期に強行成立された特定秘密保護法や共謀罪法、あるいは通信傍受法の大幅拡大などと同様、官邸の中枢に突き刺さった警備公安部門出身の警察官僚あたりが知恵をつけ、政権や与党周辺に漂う陳腐な排外主義やナショナリズムを梃子としつつ、警備公安警察などの権益とフリーハンドをここぞとばかりに広げていると捉えるべきだろう。

いずれにせよ、この治安法の成立でほくそ笑んでいるのは治安官僚である。現在の政権や与党にはそこまで深淵な知恵も策略もないようだが、仮に将来、厄介な為政者が登場すれば、反対勢力を押さえつける格好の武器として縦横に悪用されかねない。権力の怖さを知らぬ政権と与党の下、その時に歯噛みしても手遅れな治安法ばかりが続々と整えられていく。

2021年8月8日　自然の理

本稿が読者の眼に届くころに東京五輪は一応開幕を迎えているはずだが、その直前になってもみっともない混乱ばかりつづき、開会式で楽曲の制作を担当していたという男が辞任に追いこまれた。

すでに各メディアで大々的に報じられているから理由や経過についてはあらためて詳述する必要もないだろう。かつて障害者に論外の暴力的虐めを繰り返し、雑誌インタビューでそれを悪びれもせず開陳した愚かさ。当人も当人だが、そんな男にパラリンピック開会式の楽曲制作まで委ねていたというのだから、委ねた側の神経と責任も激しく問われる。そして過去にホロコーストを揶揄していた開会式ディレクターも更迭された。

それにしても、またか、と嘆息する向きも多かろう。この五輪、あまりに無惨でみっともない醜聞ばかりが途切れることなく噴出しつづける。公式ロゴは盗用疑惑で撤回、建設費膨張で新国立競技場の当初案も撤回、元首相の組織委トップはあからさまな女性蔑視発言で辞任し、さらには開閉会式の演出統括を務めていた男は女性タレントの容姿を侮蔑する演出案が猛批判を浴びて辞任した。そして今回の一件。

だから今五輪を「呪われている」と嘆いた政治家もいるらしいが、私にいわせればなにもかも必然的帰結。そもそも今五輪の東京招致に確たるビジョンなどなく、あえていえば１９６４年への老人的ノスタルジーあたりが最大の理由。その言い出しっぺの都知事は根っからの差別者にして排外主義者だった。

しかも為政者たちは「復興五輪」とか「アンダーコントロール」とか「コンパクト五輪」とか、誰がどう考えても虚偽や詭弁とわかる言辞を連ね、招致に際してはＩＯＣ関係者への贈賄疑惑を引き起こし、7000億円ほどとされた大会経費は膨張に膨張を重ねていまや3兆円超。「コンパクト」も「復興」も、もはやその影も形さえも残っていない。

コロナ禍に襲われたのは不幸な偶然だったにせよ、コロナ禍でもすっぱりと中止にできず、無能なくせに強引に突き進んで右往左往する混乱を世界にさらし、逆に今般の五輪はこの国の政治と為政者らの本性を見事なまでに剝き出しにした。

つまり、無惨な醜聞ばかりが途切れることなく噴き出すのは必然であり、ある意味で自然の理。端的にいって、類は友を呼ぶのである。愚かな連中のまわりには愚かな連中が集まり、さらにはそれが打算や利権目当ての連中を吸引する。

あるネトウヨ雑誌で右派論客と対談した前首相は、五輪に反対する人びとは「反日」だと罵ったらしいが、あえて同じレベルに立って下品な罵りを逆献上すれば、今般の五輪の中枢や周辺に群がっているのは「バカ」や「クズ」ばかり。そんなふうに書けば前首相や追従者はいきりたつだろうが、残念ながら事実がそれを雄弁に証明している。はてさて、そんな五輪がどんな結末を迎えるか、薄目を開けて見物することにしよう。必ず起きるだろう感染状況の拡大に怯えながら。

おわりの言葉にかえて――単行本版のあとがき

米紙ワシントン・ポストは２０１７年の2月から、題字の下に次のようなスローガンを掲げはじめた。インターネット版も同様だから、興味のある方はアクセスしてみるといい。

〈Democracy Dies in Darkness〉

直訳すれば、「民主主義は暗闇の中で死ぬ」。ライバル紙のニューヨーク・タイムズは、従前から1面の左上に〈All the News That's Fit to Print〉――「印刷に価するすべてのニュース」という一文を掲げてきたが、ワシントン・ポスト紙がこうしたスローガンを採用したのは創刊１４０年の歴史で初めてのことだという。

てっきり「フェイク・ニュース」を常套句にメディアへの敵愾心を露わにするトランプ大統領へのメッセージかと思ったら、そんなことはないらしい。以前から準備してきたことで、トランプ政権とは直接の関係がないのだとか。

それにしては意味深なスローガンである。「民主主義は暗闇の中で死ぬ」。すべて「D」の頭文字で韻を踏むスローガンは、トランプ時代におけるジャーナリズムの決意をのありようを照射しつつ、遠く離れた私たちに向けたメッセージにも感じられてくる。

そういえば、同じ米国の第4代大統領で、合衆国憲法の父とも評されるジェームズ・マディソンは、こんなアフォリズムを残している。

「人民が情報を持たず、あるいは情報獲得の手段を与えられていない人民の政府は、喜劇、もしくは悲劇への序幕のどちらかである。知識は常に無知を支配する。自分たち自身が統治者であろうと欲する国民は、知識が与える力で自らを武装しなければならない」

別に米国がすべての模範になるなどとは思わない。しかし、こうしたアフォリズムには民主主義の普遍的な教訓が埋め込まれている。

本書に収録したのは、本文中でも書いたとおり、いずれも『サンデー毎日』誌上で発表したルポルタージュやコラムがもととなっている。このうちルポルタージュ編にあたる各章は、発表時以降に判明した事実や不足分などを補って大幅な加筆・修正をほどこした。コラム原稿にかんしては、発表時点のダイナミクスと記録性を重視し、原稿の見出し部分に掲載日を付記して加筆・修正は最低限にとどめた。『サンデー毎日』誌での発表から本書を編むに至るまで、担当編集者の向井徹君にはなにもかもお世話になった。また、単行本化に際しては、河出書房新社の阿部晴政さんにお世話になった。もともとが雑誌に寄せた個別の原稿であるため、記述や論旨に重複があるのはご容赦いただきたい。

筆者としてあらためてすべての原稿を読み返してみれば、収録したルポルタージュやコラムの論旨はかなり一貫し、それぞれ通底したテーマが流れている。つまり、特定秘密保護法や盗聴法、共謀罪法などによって政府や治安当局の権限ばかりが大幅に強化され、私たちの情報を吸いあげる準備は整った。いや、すでに吸いあげられている。一方で森友学園や加計学園、防衛省・自衛隊をめぐる事例などで明らかなとおり、本来は公開されるべき公的情報は徹底して隠され、私たちは情報獲得の手段すら与えられていない。

そう、私たちはまさに暗闇の中に立たされていないか。無知に追いやられ、都合よく支配されようとはしていないか。それはまさに悲劇への序章ではないのか。そうしたことを痛切に再考する一助に本書がなれば、著者としてそれ以上の幸せはない。

なお、本文中のルポルタージュ編については原則として敬称・呼称をすべて略させていただいたことを最後にお断りしておく。

２０１８年1月31日

青木理

「情報隠蔽国家」という預言と現在
――文庫版あとがきにかえて

本書が単行本として刊行されたのは２０１８年2月のことである。それに今回新たなルポやコラムを大幅に追加し、編み直したのがこの文庫版だが、手にとってお読みいただければわかるとおり、基本的にはいずれも週刊誌『サンデー毎日』に連載コラムや単発記事として寄せた原稿で構成されており、いわば本書はそのときどきの政治や社会情勢を論じた時評集といった性格の一冊である。

そうした時評の原稿を単行本として一冊にまとめて刊行するにあたり、『情報隠蔽国家』という書名を冠したのは、信頼する担当編集者の発案によるものだった。当時はなんだか少しおどろおどろしい書名だと感じたし、その想いはいまも残ってはいるのだが、足かけ3年近くにもわたって私が書いた原稿をすべて読んだ編集者が発案したのだから、私が積みあげてきた原稿群にそうした問題意識が通奏低音のように流れていたのだろう。

いまから振り返れば、その問題意識をすくいあげて書名に冠した編集者のセンスは――時代状況も読み取って端的に表現するという観点からも、書籍の存在を人口に膾炙させる出版営業的な観点からも――なかなか秀逸だったと認めざるを得ない。

実際に私は、単行本の刊行からわずか2ヶ月後の2018年4月10日、文藝春秋社が運営するサイト『文春オンライン』に次のような原稿を寄せている。

〈情報隠蔽国家。つい先ごろ上梓した私の新刊にそんなタイトルを冠したら、まさにそれを地でいく事態が現政権の下で続々と発覚している。

財務省は森友学園問題をめぐって公文書を改竄し、防衛省・自衛隊はイラク派遣日報を1年以上にもわたって隠蔽、防衛相にすら報告していなかった。いずれも「国家の情報」にかかわり、前者は前代未聞の犯罪的行為、後者は実力組織の文民統制（シビリアンコントロール）が問われる重大事態である。

もとより、個々の事態を預言していたわけではない。ただ、いずれの事態も現政権の下で必然的に起きたものだと私は捉えている。つまり、事態の発生源となった役所や形態などに若干の違いこそあれ、すべての根底には現政権のありようや振る舞いが横たわっていて、そこを解き明かしていかない限り、責任の所在にも病の除去方法にもたどりつくことができない。この点にかんしていえば、私はたしかに新刊の中で「預言」していた。

それではいったいなぜ、類似の事態が現政権下で続発するのか。また、こうした事態を放置すると社会はどのように朽ち落ちてしまうか。拙著で「預言」したことを土台としつ

つ、本稿では重要な2点について主に記したい〉

そう前置きしたうえで私は、まず財務省における公文書改竄が起きた理由と背景を次のように記した。

〈森友学園問題で財務省は、国有地の格安売却の経緯に関する文書を廃棄したと強弁しつづけ、ついには公文書の改竄という国家犯罪にまで手を染めた。（中略）改竄前の文書を見れば、当事者が意識的だったか無意識的だったかはともかく、異例の国有地格安売却の背後には、首相の妻を筆頭とする「政権の影」は明確にちらついている。これが表沙汰になれば、「私や妻が関係していたら首相も国会議員も辞める」とまで言い放った首相を直撃し、政権基盤が大きく揺らぎかねない。だから隠し、改竄した。それ以外には考えられない〉

一方、防衛省における日報隠蔽の理由と背景についてはこう書いている。

〈防衛省・自衛隊では、イラク派遣日報の長期隠蔽に先立ち、南スーダンＰＫＯ（国連平和維持活動）日報の隠蔽が問題化している。（中略）これも隠蔽された日報を眺めれば理由は浮かぶ。そこに「戦闘」といった文字が刻まれていたから。現地・南スーダンで実際に「戦闘」が生起していれば、「戦地」派遣を禁じるＰＫＯ協力法ばかりか、憲法との整合性まで問われかねない。しかも当時はＰＫＯ派遣の延長問題が国会で審議されており、安保法制で政権批判を強める野党を勢いづけてしまうのは必定。だから「存在しない」と強弁して隠蔽した。

その延長線上に、おそらくはイラク派遣日報の長期隠蔽もあった。２０１１年からの南スーダン派遣日報が「存在しない」のに、10年以上も前のイラク派遣日報の存在を認めれば、明らかな矛盾が生じてしまう。だからイラク日報も隠蔽せざるを得なかった〉

財務省の公文書改竄と防衛省の日報隠蔽問題をめぐるその後の推移を考えれば、当時としてはかなり的確な状況分析だったと私は思っているが、両問題の前後に各省庁で起きた「情報隠蔽」事案はこの程度にとどまらない。

たとえば厚生労働省では、「働き方改革」などと称した政府提出法案の根拠となる重要データの歪曲が判明して政治問題化し、政権は法案の一部削除という異例の対応に追いこまれた。このデータ歪曲問題が発覚したのも、まさに本書が単行本として刊行された時期のことであり、裁量労働制の拡大を目指す政権の意向に沿った厚労官僚の忖度と追従によるものであるのは間違いない。つまり、本来は徹底して客観的たるべき公のデータ＝情報までを政権の都合でねじ曲げてしまったのである。

また、一連の加計学園問題をめぐって文部科学省などで起きたことごとについては、本書に収録した原稿でも論じてきたからここで詳述はしない。端的に言えば、時の為政者の「腹心の友」である学園理事長が、約半世紀も認められていなかった獣医学部の新設という野心を抱いた。その背後では「総理のご意向」を笠にきた圧力が横行し、行政が不当にねじ曲げられたことを示す文科省の内部文書がメディアでも暴かれた。にもかかわらず、官邸はこうした文書を「怪文書」扱いして知らぬ顔を決め込んだ。ここでも公の文書が公然と矮小化された。

すべての事案に通底するのは、無茶で乱暴な「一強」政権の下、公文書管理法が「国民共有の知的資源」（第1条）と謳う公文書や公の情報を政権の都合や強弁に合わせて隠蔽し、破棄し、時には歪曲し、矮小化し、果ては改竄にまで突き進んでしまった行政官僚たちの無惨な姿である。政治主導を目指す流れ自体は否定せずとも、無茶で乱暴な政権に幹部人事を牛耳られた政と官の歪みは極に達している。

一方でその政権と行政官僚組織の情報収集権限や能力を肥大化させ、同時に政権と行政官僚組織の情報をさらに強固に隠蔽する法制度が続々と整備されたことも本書で繰り返し記した。轟々たる反発を押し切って特定秘密保護法が国会で成立したのは2013年12月。通信傍受という名の盗聴捜査を大幅拡大する通信傍受法の改定案がやはり国会で成立したのは2016年5月。ここに貫かれている政治の性向は「民は由（よ）らしむべし、知らしむべからず」。文字通り、封建時代のような有様である。

では、それから5年以上が経った現在――すなわち2021年夏の情景はどうだろうか。状況は好転するどころかさらに悪化し、政権の放埒はますます加速しているのではないだろうか。本文庫版で新たに追加した原稿で触れたことを含め、あらためておさらいしておく。

法制度面でみれば、2021年6月には重要土地利用規制法が国会で成立した。米軍や自衛隊基地といった「重要施設」の周辺約1キロを「注視区域」あるいは「特別注視区域」に指定し、その区域内の土地や建物の利用状況に関する調査権限を治安機関に付与する同法は、公安警察や防衛当局といった組織が邪な思惑で縦横に駆使しかねない。そうなれば「重要施設」周辺の市民の情報が大量に収集され、プライバシーや思想信条が深々と侵害されてしまうだろう。

しかも同法は「重要施設」の定義すら明確に記しておらず、ありとあらゆる施設を指定することが法理論上は可能。また同法は、「重要施設」への「機能阻害行為」が行われるおそれのある場合に土地や建物の利用制限も可能としているが、肝心の「機能阻害行為」が具体的にどのような行為を指すのかも曖昧模糊としている。畢竟、沖縄の米軍基地への抗議や新設反対運動といった各種市民運動や集会・デモ行為を抑え込む目的などに悪用されかねない。現実に国会審議では与党議員がそうした市民運動にも適用すべきだと放言して関係者を唖然とさせた。

この悪質な治安法に先立つ2021年5月には、デジタル庁の創設などを柱とするデジタル改革関連法も国会で成立している。各国に比べて圧倒的な遅れが目立つ行政各部門のデジタル化は時代の趨勢であり、行政の利便性や効率性などの面から必要性はもちろん否定しないにせよ、公の情報と民の情報を取り巻くこの国の非民主的な悪癖がここにも見事に現れていて、政府による情報収集権限と能力ばかりを肥大化させる一方、それに対する歯止めがほとんど設けられていないことに暗澹とさせられる。

たとえば首相がトップとなるデジタル庁は、政府各部局と地方自治体などを結びつけて市民の広範な情報を一元的に集約し、大量に管理することになる。さほど遠くない将来、いわゆるマイナンバー＝国民総背番号制とも紐づけられ、そのマイナンバーに紐づけられる対象が拡大すれば、極度にプライベートな個人情報——たとえば病歴や納税、収入や支出、行動履歴、思想信条にまつわるデータといったセンシティブ情報の一元集約・管理が飛躍的に進むだろう。なのに時の政権や治安当局が悪用しないための措置は皆無に等しい。

しかも政権は、相も変わらぬ放埒な権力行使と情報の隠蔽に走って恥じるところがない。長きにわたる「一強」政権を率いた前首相は２０２０年９月、またも体調不良を理由に政権を放り出したが、その後釜に座ったのは前政権の官房長官として数々の無茶や乱暴を主導してきた為政者。だからというべきか、就任直後には日本学術会議の会員候補６人の任命を拒否するという前代未聞の挙にも出た。

確かに日本学術会議法はその会員について「会議の推薦に基づいて首相が任命する」と定めている。だが、これは「形式的任命に過ぎない」というのが従来から続く公式の政府見解だった。これを突如覆す任命拒否は、前政権から続く無茶で乱暴な人事権の強権的発動であると同時に、いち内閣の閣議決定で憲法解釈を変更してしまった安保関連法制を彷彿させる。また、政権に異を唱える学術会議や学者・科学者を狙った悪質な政治的攻撃でもある。

このようなことを許せば霞が関の行政官僚に広がった忖度と追従の悪習が学術界にまで

拡大し、ひいては社会の多様性や創造性が大きく削がれてしまいかねない。そして何よりも問題なのは、政権がなぜ6人の任命を拒否したのか、その理由を一切説明しようとしない姿勢であろう。これもまた政治権力による重大な情報隠蔽の一種であり、理由を説明しないことによって学術界や広く社会一般にはさらに広範な萎縮、忖度が広がりかねず、ある意味で政権はそれを狙っている節さえある。

ほかにも政権の情報隠蔽事案は数え切れないほどあるが、本書の原稿では触れなかった最近の事例をもう一つだけあげれば、名古屋出入国在留管理局に収容されていたスリランカ人女性が死亡した件をめぐる政権と法務省・入管当局の対応もこの国の現状を無惨に映し出した。さまざまな事情を抱えて不法滞在状態となった外国人や難民申請者はおろか、広く外国人労働者らに冷淡な姿勢はいまにはじまったことではなく、これも背後には「移民」を極度に嫌悪する前政権とそのコアな支持層の旧時代的態度が横たわっているのだが、どのような理由であれ、収容者に十分な医療も受けさせずに死亡させてしまうような入管行政がまかり通っているのは断じてまともな国ではない。

しかもその経緯を記録した行政文書の開示を遺族らが求めると、法務省と名古屋入管は1万5千枚にも及ぶ文書の大半を堂々と黒塗りにして示した。ここでもまた公の情報は民に示さず、隠蔽し続けるのだと法務・入管当局が宣言したことを意味するが、ご存知の通りこれもまた驚くべき話ではなく、この国にありふれた情景に過ぎない。

だが、驚くべき話ではないことが本来は驚くべきことであり、『情報隠蔽国家』という本書のタイトルが発した「預言」は残念ながら現在進行形である。そしてこのような状況を放置した果てに私たちがどのような地平に立ち至るか、単行本版のあとがきで紹介した米国の第4代大統領ジェームズ・マディソンのアフォリズムを思い出してほしい。そして、あらためて考えなければならない。この国は一応、民主主義国家を自称していても、私たちは情報を持たず、情報獲得の手段すらしかと保持できていない。つまりは無知に追いやられ、都合よく支配されている。それはまさに喜劇、あるいは悲劇への序幕にほかならない。

さて、そうした政治を戴いているこの国と世界を一斉に襲ったのがCOVID-19と呼ばれる新型感染症のパンデミックだった。常日ごろは「国民の生命と財産を守るのが政府の使命」などと言ってふんぞりかえり、「緊急事態への対処」やら「危機管理の重要性」やらをことあるごとに喧伝してきたこの国の為政者たちが、まさに人びとの生命と財産が危機に瀕した感染症のパンデミック下、いかに無能で無為無策に終始したかを私たちは眼前でまざまざと見せつけられた。そうしてこの原稿を書いているいま、私たちは第5波となる感染爆発の只中で怯えている。

それでも世界を見渡せば、感染の制御に一定程度成功している国や地域もある。たとえば中国もその一つだと言えば、お前は一党独裁による強権的管理を肯定するつもりかとそしられるだろうが、ほかにもオーストラリアであるとかニュージーランドであるとか、あるいは台湾もそうだが、先進的な民主制を堅持しながら新型感染症の制御に成功している国や地域もある。

そのうちのひとつである台湾では、30代という若さで蔡英文政権のデジタル担当大臣に就いたプログラマー、オードリー・タン（唐鳳）の存在が注目を集め、デジタル技術を駆使した感染症対策にも世界の関心が寄せられた。私も興味を惹かれてその発言や著書を眺めていたら、語りおろしだという2020年発行の著書『オードリー・タン　自由への手紙』（講談社）にこんな記述を見つけて彼我の差を痛感させられた。

〈私は常に「透明性」が重要になると考え、そう発言しています。

ここで私がいう透明性とは、国家の仕事を国民が見通せるようにすること。逆に国家が国民を見通せるということなら、監視国家になってしまいます。

国民から見ると国家には透明性がある。

国家から見ると国民には見えない部分がある。

つまり、国家から国民に対しての一方通行での透明性ということで、基本的には国が国民から信頼を得るための方策です〉

この若きデジタル担当大臣の素顔について私は詳しく知らないが、記されている発言はジェファーソンのアフォリズムにもつながる民主主義の基本である。それを過不足なく語るデジタル担当大臣を擁した台湾が新型感染症の制御に成功する一方、私たちの国が無為無策のまま感染爆発に慄いている事実に、さまざまな答えが示されているように思われてならない。なのに私たちの為政者はいま、またも無責任に政権を放擲し、危機の最中に皮相な権力闘争にうつつをぬかしている。

2021年9月

青木理

解説　「公開」を拒む国家をこじ開けるジャーナリストの眼

白井聡

二〇一二年末の第二次安倍晋三政権成立以来の八年の間、一体何が起きてきたのか、本書を読みながら私は追体験をした。かく言う私も、二〇一三年三月に『永続敗戦論』を上梓して以降、安倍政権（およびその正統後継者としての菅義偉政権）に対する批判的分析の論考を折に触れて書いてきた。ゆえに、この間に一体どれほどの数のロクでもなき事々があったのかをそれなりに網羅的に記憶していたつもりだった。しかし、本書を読み進めるうちに、「ああ、そう言えばこんなこともあった、あんなこともあった」とあらためて思い出す（言い換えれば、忘れていた）べき事柄が多々あることに気づかされた。

実に、この八年間の日本は、個人がそのすべてを記憶することが困難であるほど多数のロクでもない出来事によって埋め尽くされてきたのだった。その当然の帰結として、いま私たちは「統治の崩壊」を目にしている。事実を捻じ曲げ、公文書を隠蔽・改竄し、そのような非道を肯んじない人間を死に追いやる（財務省、赤木俊夫氏）一方、非道に加担する連中を積極的に重用し、公正な観点から政権に苦言を呈する者を遠ざける一方で、阿諛追従を事とする幇間たちを侍らせる——そんなことのみをしてきた権力が、新型コロナウイルスの大流行という世界を震え上がらせる非常事態を迎えて、突然有能ぶりを発揮し、誰もが納得するような公正な手段によって危機を終息させる、などということが起るはずはもちろんなかった。その無能力をさらけ出した政権は、コロナによって二度にわたり（二〇二〇年八月安倍政権、二〇二一年九月菅政権）ノックアウトされてしまった。

なぜここまで、日本の統治機構は衰えたのか。青木理が出した答えのひとつは、「情報隠蔽」である。民主政治の基本は、多数決のみではない。民主主義はその理想状態においては、その参加者（＝主権者）は、意思決定に資する情報を十分に得て、それに基づいた判断を下すものとされている。逆に言えば、十分な情報がないなかでは主権者が真っ当な判断を下せるわけがなく、民主制は形骸化する。したがって、公開性の原則は、民主主義において根幹をなすものにほかならない。

第二次安倍政権以降、まさにこの根幹がズタズタになった。政権にとって不都合な情報を隠蔽するばかりか、文書の改竄、さらには統計の改竄にすら手を染めるようになった。かかる権力は、権力の腐敗や逸脱を防ぐ監視の目を逃れるようになったばかりではなかった。ついにそれは、自らがつくり出した幻影としての自画像（憲政史上最長の、したがってそれだけの有能ぶりを誇った政権、あるいは「仕事師内閣」）に自らが欺かれ、惨めな破産に陥ったわけである。

しかし、本書が明らかにしているのは、この破産はただ単に自公政権が自滅的に落ち込んで行ったものではない、ということだ。公開性の原則は、国家がそれを定めその規範を遵守することによって実現されることは確かだが、そうした遵守は国家権力がそうすることを強いられてはじめて現実のものとなる。言い換えれば、メディア、ジャーナリズムを筆頭とする権力の監視者が目を光らせ、国家に対して圧力を掛けるからこそ、国家は情報を公開せざるを得なくなるのだ。

そしてまさに、この圧力の弱体化が起きたから「情報隠蔽」は可能となった。「ジャーナリズムとは権力者が報じられたくない事を報じるものだ。それ以外のものは広報にすぎない」とは、ジョージ・オーウェルのものとされる名文句だが、これを基準とすれば、この八年間で多くの日本のジャーナリズムは「広報」にすぎなくなった。この惨状に対して青木が同業者として注ぐ視線は当然厳しい。だが、堕落の果てに統治が崩壊し、そのために失われる必然性のなかった命がいままさに失われていることに鑑みるならば、その厳しさはどれほど厳しくとも厳しすぎるということはない。日本のマスメディアは、いま全国津々浦々でロクな治療も受けられず無念のなかで命を失った人々の死に対して、明白な責任がある。

これほどの堕落に日本の政治が陥ったこと、そしてそのような政権があくまで民意に支えられて（選挙で勝ち続けたのだから）継続してきたこと、その理由が何であったのかについては、私も含めてさまざまな人々がそれぞれの角度から考察してきた。もちろん、現時点で確定的な答えがあるわけではない。間違いなく言えるのは、日本国家と日本民族が今後も存在し続けると仮定すれば（あくまで仮定の話である）、この問いに将来の研究者やジャーナリストは、こぞって取り組むことになるだろう、ということだ。それは、日本人があたかも集団的発狂に陥ったかに見えるあの戦争の時代に対して、多くの関心が寄せられ続けてきたことと同じである。そしてその際に、本書に収められた青木理のリアルタイムの抵抗言説は、そうした検証の際の貴重な資料となるだろう。

（政治学者）

[初出一覧]

第1章　日米同盟の暗部と葬り去られた国家機密——現役自衛官が実名告発
『サンデー毎日』2017年12月3日号〜12月17日号連載に大幅加筆

第2章　「私が従事してきた謀略活動と共産党監視」——元・公安調査官が実名告発
『サンデー毎日』2017年7月16日号掲載に大幅加筆

第3章　抵抗の拠点から
『サンデー毎日』2015年3月29日号〜2016年7月3日号連載を再構成

第4章　共謀罪と公安警察と前川スキャンダル
『サンデー毎日』2017年6月18日号掲載に大幅加筆

第5章　警察の犯罪
『サンデー毎日』2016年3月27日号〜4月17日号連載に大幅加筆

第6章　刑事司法の闇——飯塚事件をめぐる重大な疑惑
『サンデー毎日』2018年2月25日号〜3月11日号連載を改稿

第7章　カウンター・ジャーナリズム
『サンデー毎日』2016年7月31日号〜2018年2月4日号連載を再構成

第8章　「情報隠蔽国家」に立ち向かえ——保阪正康氏との対話
『サンデー毎日』2018年1月14日号掲載に大幅加筆

第9章　瓦礫に積む言葉
『サンデー毎日』2018年3月25日号〜2021年8月8日号連載を再構成
「情報隠蔽国家」という預言と現在——文庫版あとがきにかえて　書き下ろし

*本書は二〇一八年二月に小社より刊行した単行本を増補し文庫にしたものです。

情報隠蔽国家

二〇二一年一〇月一〇日　初版印刷
二〇二一年一〇月二〇日　初版発行

著　者　青木理（あおきおさむ）
発行者　小野寺優
発行所　株式会社河出書房新社
〒一五一-〇〇五一
東京都渋谷区千駄ヶ谷二-三二-二
電話〇三-三四〇四-八六一一（編集）
〇三-三四〇四-一二〇一（営業）
https://www.kawade.co.jp/

ロゴ・表紙デザイン　粟津潔
本文フォーマット　佐々木暁
本文組版　株式会社ステラ
印刷・製本　中央精版印刷株式会社

Printed in Japan ISBN978-4-309-41849-0

日本

姜尚中／中島岳志　41104-0

寄る辺なき人々を生み出す「共同体の一元化」に危機感をもつ二人が、日本近代思想・運動の読み直しを通じて、人々にとって生きる根拠となる居場所の重要性と「日本」の形を問う。震災後初の対談も収録。

死刑のある国ニッポン

森達也／藤井誠二　41416-4

「知らない」で済ませるのは、罪だ。真っ向対立する廃止派・森と存置派・藤井が、死刑制度の本質をめぐり、苦悶しながら交わした大激論！　文庫化にあたり、この国の在り方についての新たな対話を収録。

軋む社会　教育・仕事・若者の現在

本田由紀　41090-6

希望を持てないこの社会の重荷を、未来を支える若者が背負う必要などあるのか。この危機と失意を前にし、社会を進展させていく具体策とは何か。増補として「シューカツ」を問う論考を追加。

「噂の眞相」トップ屋稼業　スキャンダルを追え！

西岡研介　40970-2

東京高検検事長の女性スキャンダル、人気タレントらの乱交パーティ、首相の買春検挙報道……。神戸新聞で阪神大震災などを取材し、雑誌「噂の眞相」で数々のスクープを放った敏腕記者の奮闘記。

福島第一原発収束作業日記

ハッピー　41346-4

原発事故は終わらない。東日本大震災が起きた二〇一一年三月一一日からほぼ毎日ツイッター上で綴られた、福島第一原発の事故収束作業にあたる現役現場作業員の貴重な「生」の手記。

偽善のトリセツ

パオロ・マッツァリーノ　41660-1

愛は地球を救わない？　でも、「偽善」は誰かを救えるかもよ⁉　人は皆、偽善者。大切なのは、動機や気持ちではなく、結果である。倫理学と社会学から迫る、誰も知らない偽善の真実。

著訳者名の後の数字はISBNコードです。頭に「978-4-309」を付け、お近くの書店にてご注文下さい。